海洋科技出版工程

基于IMO示范课程的内河轮机岗位培训课程确认

黎法明　蒋祖星　著

哈爾濱工程大学出版社
Harbin Engineering University Press

内容简介

本书根据IMO示范课程的作用、结构和特点，结合海事主管机关对内河轮机岗位培训课程确认要求，分析了内河轮机岗位培训课程确认的培训计划、实操教学方案、教师手册、课程总体安排、制度及保障措施以及与培训课程确认相关的其他说明材料的编制等，提出了内河轮机岗位培训课程确认材料编制思路、要求和范本。

本书可为我国航海院校及培训机构开展IMO示范课程(内河)、内河轮机岗位培训课程确认提供参考和借鉴。

图书在版编目(CIP)数据

基于IMO示范课程的内河轮机岗位培训课程确认/黎法明，蒋祖星著．—哈尔滨：哈尔滨工程大学出版社，2021.6

ISBN 978-7-5661-3136-2

Ⅰ．①基… Ⅱ．①黎… ②蒋… Ⅲ．①内河船-轮机-岗位培训-课程-教学研究 Ⅳ．①U676.2

中国版本图书馆CIP数据核字(2021)第122789号

基于IMO示范课程的内河轮机岗位培训课程确认
JIYU IMO SHIFAN KECHENG DE NEIHE LUNJI GANGWEI PEIXUN KECHENG QUEREN

选题策划 史大伟 薛 力
责任编辑 丁 伟
封面设计 李海波

出版发行 哈尔滨工程大学出版社
社　　址 哈尔滨市南岗区南通大街145号
邮政编码 150001
发行电话 0451-82519328
传　　真 0451-82519699
经　　销 新华书店
印　　刷 北京中石油彩色印刷有限责任公司
开　　本 787 mm×1 092 mm 1/16
印　　张 10.25
插　　页 7
字　　数 301千字
版　　次 2021年6月第1版
印　　次 2021年6月第1次印刷
定　　价 63.00元
http://www.hrbeupress.com
E-mail:heupress@hrbeu.edu.cn

前　　言

为促进《1978年海员培训、发证和值班标准国际公约》(简称《STCW公约》)的实施,国际海事组织(International Maritime Organization,IMO)开发了一系列示范课程。我国从21世纪初开始引进示范课程,自2013年大范围引进,到目前为止共翻译出版了40余种。在系统地参考了示范课程的内容及《STCW公约》的要求基础上,2019年,我国海事主管机关出台了《内河船舶船员适任培训和考试大纲(2019版)》(以下简称《培训和考试大纲》),融合了培训内容、学时、设施设备和教员等相关因素,为海事管理机构对培训课程确认提供了标准。《培训和考试大纲》的实施,势必对我国内河船舶船员培训教学产生深远影响。无论是按照新的《培训和考试大纲》编写教材,还是组织培训教学,只有深入理解IMO示范课程的开发思想,而不是机械照搬示范课程的内容,才能够在培训教学中充分落实新大纲,促进内河船舶船员培训教育的发展。

为进一步提升内河船舶船员培训质量、提高船员实操能力、打造高素质船员队伍,根据《中华人民共和国船员条例》、《中华人民共和国船员培训管理规则》(2019年修正)、《〈中华人民共和国船员培训管理规则〉实施办法》、《培训和考试大纲》,内河船舶船员培训机构对新招录的学员应按照《培训和考试大纲》要求开展培训和进行培训课程确认,可参考IMO示范课程的开发思路,结合各自实际合理设置培训课程,制订培训计划,确保培训质量;要重点加强对学员实际操作能力的训练,着力培养动手能力强、符合行业要求的内河航运专业人才。内河轮机岗位培训课程确认,主要核实培训课程安排对实施培训大纲的覆盖性、符合性和可行性。

2017年3月至今,著者作为船员培训机构的教师,负责主持本单位的相关培训课程论证、确认工作,并参加多个培训机构及学校培训课程确认的编制与评审,对如何开展培训课程确认,以及培训课程的培训计划、实操教学方案、教师手册、课程总体安排、制度及保障措施、与培训课程确认相关的其他说明材料编制等有着深刻的认识与理解。经过近四年的努力,《基于IMO示范课程的内河轮机岗位培训课程确认》一书终于完成,希望本书能为我国航海院校及内河培训机构开展内河轮机岗位培训课程确认,提供参考和借鉴。

广东交通职业技术学院张少明、连廷耀、董胜先等教师在资料收集及整理方面给予较大帮助,在此一并表示感谢!

限于著者的水平,本书错误和不妥之处在所难免,期望广大读者批评指正。

著　者

2021年3月

目　录

第 1 章　IMO 示范课程的作用、结构和特点

1. IMO 示范课程的作用

IMO 示范课程是 IMO 根据各成员国、各有关国际海事行业协会的提议和反馈建议，制定的一套具有通用性、符合公约要求的培训示范课程。其作用是帮助各成员国培训机构及其教职员组织和引进新的培训课程，或改进、更新及补充、完善各国航海院校及培训机构现有的教学和培训资料，为各国航海院校及培训机构介绍或提供新的教学和培训资料，从而提高其教学质量。

2. IMO 示范课程的结构

IMO 示范课程采用统一的结构模式，分为七个部分：课程介绍、课程结构、课程概要、教学大纲细则、教师手册、教学评估、附件。

IMO 示范课程内容设置上注重实践教学和实用性，纯理论教学不多，注重实际操作；知识结构层次分明，知识连贯、系统性强；同时用大量图片配合教学内容，学员易于理解掌握。IMO 示范课程结构组成情况如下：

第一部分是课程介绍，主要介绍课程的目的、使用、实施、教案要求等；

第二部分是课程结构，主要介绍课程目标、入学标准、人数限制、教学辅助要求等；

第三部分是课程概要，主要介绍课程主要内容及课时安排、教学日历；

第四部分是教学大纲细则，主要介绍培训内容的提纲、要点和培训的效果；

第五部分是教师手册，主要介绍教师教学过程中需要了解的相关具体内容；

第六部分是教学评估，主要介绍评估方法、有效性和可靠性、主客观测试方法等；

第七部分是附件，主要介绍示范课程实施指南，以及教师对示范课程的反馈。

3. IMO 示范课程的特点

(1) IMO 示范课程的课程设计兼顾各层次培训学员。IMO 示范课程涵盖了课程目的、课程实施计划、培训提纲、培训成果及评估等内容，课程设计充分考虑各层次学员的入学程度等差异，包括学员实际的知识技能水平及技术培训背景；同时，教学大纲明确了在遇到培训学员入学程度等差异及由课程设计可能造成的困难时，教师可从课程中删除或压缩学员已经掌握的知识。如完成课程的学员将要承担的工作与本示范课程中所列目标不同时，则有必要对课程的目标、范围和内容加以调整。

(2) IMO 示范课程为航海院校及培训机构的教学人员提供培训指导。从其结构组成可知，其不适于直接作为教材资料使用，故只适用于航海院校及培训机构的教师，而不适用于学员。

(3) IMO 示范课程对航海院校及相关培训机构培训教学的各科目所要求的设施与设备、教师与学员、培训管理与规模及教学计划等各方面均提供了具体的指导，具有较强的可操作性。

(4)IMO示范课程注重知识与方法的有机结合,有别于一般的国内教材。其在课程编排时,注重知识与方法的结合,在航海专业知识之外还推荐了相应的学习方法和教学方法。如强调教师在授课时应始终面对学员、与学员保持目光的交流;语言表达清楚,声音洪亮,保证每一个人都能听清;把授课分为活动内容不同的阶段,以保持学员的兴趣;等等。这些具体有效的学习和教学方法提高了教与学的效率,从而易于达到培训目的。

(5)IMO示范课程培训内容满足《STCW公约》要求。示范课程从培训教学所涉及的各种资料、培训要求、培训与评估方法等方面为教学人员提供了全面的指导,并将培训相关要素有机融合在一起,有利于建立一套标准的培训程序,以提高培训质量。

(6)IMO示范课程内容与时俱进。一本IMO示范课程教材出版后,会随航运业的发展和相关公约的修订不断更新完善,方可确保其处于最新和最适用的状态。

第 2 章　IMO 示范课程与课程确认

2012 年 10 月，欧盟对中国海员教育、培训、考试、评估和发证工作进行了检查评估，其依据的标准是《1978 年海员培训、发证和值班标准国际公约马尼拉修正案》（简称《STCW 公约马尼拉修正案》）。在欧盟开具的缺陷项中，有一项涉及培训机构的课程设置及海事主管机关对培训课程的认可。欧盟认为，根据《STCW 公约马尼拉修正案》提出的主管机关应对培训课程确认要求，其中 STCW 规则第 A－I/2 节第 6 段"培训课程的认可"规定在认可培训课程和计划时，缔约国应考虑到相关 IMO 示范课程会帮助该类课程和计划的准备，并且确保适当涵盖所建议的详细学习目标。但在检查评估中发现，中国对于培训机构的课程设置及海事主管机关对培训课程的认可存在薄弱环节，被认定为缺陷项。产生该项缺陷的根本原因是我国此前对船员培训课程确认尚未出台相应的政策制度。

1. 课程确认的产生

我国是 IMO《STCW 公约》缔约国，为切实履行《STCW 公约》，交通运输部发布了《中华人民共和国船员培训管理规则》（以下简称《培训规则》），《培训规则》是履行《STCW 公约》的基础文件之一。2013 年 12 月 24 日交通运输部《关于修改〈中华人民共和国船员培训管理规则〉的决定》第二十三条首次明确提出"课程确认"的要求，即"培训机构开展培训的课程应当经过海事管理机构确认"。2019 年 1 月 30 日，交通运输部发布了《内河船舶船员适任培训和考试大纲（2019 版）》（交办海〔2019〕14 号，以下简称《培训和考试大纲》），为课程确认提供了内容依据。交通运输部海事局随后发函《〈中华人民共和国船员培训管理规则〉实施办法》（以下简称《实施办法》），要求培训机构按照《培训和考试大纲》开展培训，在开班前完成课程确认。一些船员培训机构因此开始了一些有益的探索，但一直未能全面开展。

《实施办法》对船员课程培训确认进一步做了详细的规定，要求各培训机构按要求开展课程论证（确认），所有的培训课程只有通过课程确认后，才能开展培训。但是目前，课程确认并没有统一的模板，只是在《培训规则》中对培训机构应提交的课程确认材料进行了明确。《实施办法》第十条规定，培训机构申请课程确认需要提交以下六个方面的材料：

（1）与培训项目相关的总体安排、制度及保障措施；

（2）培训计划；

（3）教学大纲和详细的教学方案；

（4）由不低于该培训课程教学人员标准的人员对拟开展培训课程出具论证报告；

（5）采用模拟器培训的，还应提交模拟器训练方案，以及满足模拟器训练标准要求的测试报告；

（6）培训机构认为与培训课程确认相关的其他说明材料。

除(4)外,培训规则实施办法并未对材料规定专门格式或具体内容,因此不少培训机构甚至直属海事管理部门都茫然失措或对文件理解存在偏差,导致目前课程确认工作进展缓慢。

根据《实施办法》第十条的要求,海事管理部门对培训课程确认的核心是核实培训机构的培训课程安排对实施《培训和考试大纲》的覆盖性、符合性和可行性,应从以下五个方面进行确认:

(1)采用的培训教材和培训内容是否满足《培训和考试大纲》和水上交通安全、防治船舶污染等要求;

(2)培训内容的理论和实操学时安排是否合理,并符合《培训和考试大纲》的相应要求;

(3)教学人员的数量是否满足培训规模的需要和教学能力是否胜任既定的培训目标;

(4)采用模拟器培训的,模拟器训练方案是否满足相应的训练要求,达到相应的训练目标;

(5)培训采用的培训方式和资源保障是否科学、有效,完成课程后是否能达到规定的适任标准。

以上五个方面回答了培训机构应提供的课程确认材料所应包含的内容。

2. IMO示范课程与课程确认

虽然《实施办法》对船员课程培训确认做了进一步详细的规定,但没有统一的模板及格式。培训机构对课程确认的材料和培训计划不知如何开展编制。IMO示范课程提供了课程介绍、课程结构、课程概要、课程纲要和时间表、详细的教学提纲、部分评估、示范课程实施指南等内容,这些内容可供培训课程确认时参考。在制订培训课程确认中的培训计划时,可参考STCW规则第A－Ⅰ/2节第6段"培训课程的确认"提出的"在认可培训课程和计划时,缔约国应考虑到IMO示范课程会对该类课程和计划的准备有所帮助,并且确保适当覆盖所建议的详细学习目标",这对船员培训机构使用IMO示范课程提出了具体要求。海事管理部门已经组织翻译了主要的IMO示范课程,内河船员培训机构应加大引入力度,在制订专业人才培养方案或船员培训计划时,注意参考、涵盖相关IMO示范课程的内容。

3. 课程确认对培训教学的影响

(1)对培训教学质量的影响

在培训机构的教学培训中,普遍存在着重学历教育教学、轻短期船员培训的现象。学历教育教学有着严谨的教学管理体系和良好的教学运行机制,注重从知识、技能、素质多个维度培养人、教育人;内河短期船员培训则以考试为指挥棒,以学员的应试为动力,以考点为教学重点,过于强调知识灌输,忽视了船员的专业技能训练与素质养成,教学过程往往较随意。船员培训课程确认是对以往船员培训教学的一次系统梳理和检查,有利于船员培训机构重新认识和改进船员培训教学效果,提升船员培训质量。

(2)对船员培训管理的影响

课程确认是在《培训考试大纲》出台后,依据《培训考试大纲》对船员培训重新开展的测量活动。课程确认对教学内容和学时的要求更加明确,对教学过程更加关注,对模拟器教学更加注重仿真性。课程确认不是要求船员培训机构产生更多的纸面工作,而是要求其更加关注对船员培训的过程管理。船员培训机构应深入研究培训课程的确认要求,将培训课程的确认有机地纳入船员培训管理质量体系,使培训课程的确认成为船员培训管理的规范。

(3)对航海模拟器教学的影响

航海模拟器是船员培训的关键设施设备,模拟器教学是船员培训的重要内容,船员培训机构在模拟器建设和使用方面取得了长足的发展。课程确认把模拟器培训作为单项进行考核,并制订出详细的操作训练方案,既反映出模拟器教学在船员培训中的重要地位,也反映出模拟器教学在船员培训中普遍存在着问题。船员培训机构在运用模拟器教学时,不仅要确保模拟器的功能和性能满足培训要求,还应注意模拟器训练方案的有效性以及教学人员的适任性,从而确保模拟器教学达到既定的训练教学效果。

课程确认是我国政府履行 IMO《STCW 公约》的具体举措,培训机构应充分认识到课程确认的重要意义,可参考 IMO 示范课程的内容来进行课程确认材料的编制,重视对培训内容和过程的管理,严禁出现课程确认材料与项目实际教学“两张皮”的错误做法,切实提高船员培训质量。

第3章 公约与规则对培训课程确认的要求

培训课程确认的公约主要为《STCW 公约》；规则主要为《中华人民共和国船员培训管理规则》和《〈中华人民共和国船员培训管理规则〉实施办法》，详细情况如下。

1.《STCW 公约》对“培训课程认可（确认）”的要求

STCW 规则第 A－I/2 节第6段“培训课程的认可”规定，在认可培训课程和计划时，缔约国应考虑到相关 IMO 示范课程会帮助该类课程和计划的准备，并且确保适当涵盖所建议的详细学习目标。

STCW 规则第 A－I/6 节第7段要求，将认可培训课程、培训机构或培训机构所核准的资格作为其按公约签发证书部分要求的各缔约国应保证，将教师和评估人员的资格和经历纳入第 A－I/8 节的质量标准条款的适用范围。该资格、经历和质量标准的运用应纳入适当的教学技术培训以及培训和评估方法与实践，并应符合第4段至第6段所有适用的要求。

STCW 规则第 A－I/6 节第4段要求，在船上或岸上对海员进行旨在用于根据公约取得发证资格的在职培训的任何人员应：

.1 对培训计划有正确认识并对所进行的特定种类的培训的具体目标有充分了解；

.2 胜任所进行的培训工作；

.3 如果使用模拟器进行培训：

.3.1 接受过有关使用模拟器的教学技术的适当指导；

.3.2 已获得对所使用的特定种类模拟器的实际操作经验。

STCW 规则第 A－I/6 节第6段要求，在船上或岸上对海员进行旨在用于根据公约取得发证资格的在职适任评估的任何人员应：

.1 对所评估的适任能力具有适当水平的知识和理解；

.2 胜任所执行的评估任务；

.3 接受过有关评估方法和实践的适当指导；

.4 已获得评估的实际经验；

.5 如果所进行的评估涉及模拟器的使用，已获得在有经验的评估人员监督下并使其满意的特定种类模拟器的实际评估经验。

2. 国内相关规则对“培训课程确认”的要求

（1）《中华人民共和国船员条例》第三十八条规定，从事船员培训业务的机构，应当按照国务院交通主管部门规定的船员《培训和考试大纲》和水上交通安全、防治船舶污染、船舶安保等要求，在核定的范围内开展船员培训，确保船员培训质量。

（2）《中华人民共和国船员培训管理规则》（2019 年修正）第二十二条规定，培训机构应当按照交通运输部规定的船员《培训和考试大纲》和水上交通安全、防治船舶污染等要求设置培训课程、制订培训计划并开展培训。培训机构开展培训的课程应当经过海事管理机构确认。

(3)《〈中华人民共和国船员培训管理规则〉实施办法》对课程确认做出以下规定：

第十条　培训机构按照《培训规则》第二十二条规定申请课程确认，应当按照培训项目分别向管辖的直属海事管理机构或省级地方海事管理机构提出，并提交以下材料：

(一)与培训项目相关的总体安排、制度及保障措施；

(二)培训计划；

(三)教学大纲和详细的教学方案；

(四)由不低于该培训课程教学人员标准的人员对拟开展培训课程出具论证报告(格式见附录9，仅适用于海船船员培训项目)；

(五)采用模拟器培训的，还应提交模拟器训练方案满足模拟器训练标准要求的测试报告；

(六)培训机构认为与培训课程确认相关的其他说明材料。

培训课程确认，培训机构可以在申请相应培训项目许可时一并提出。

第十一条　海事管理机构对培训课程的确认，主要核实培训课程安排对实施《培训考试大纲》的覆盖性、符合性和可行性：

(一)采用的培训教材和培训内容是否满足培训大纲和水上交通安全、防治船舶污染等要求；

(二)培训内容的理论和实操学时安排是否合理，并符合培训大纲的相应要求；

(三)教学人员的数量是否满足培训规模的需要和教学能力是否胜任既定的培训目标；

(四)采用模拟器培训的，模拟器训练方案是否满足相应的训练要求，达到相应的训练目标；

(五)培训采用的培训方式和资源保障是否科学、有效，完成课程后是否能达到规定的适任标准。

对经过确认的培训课程，海事管理机构应当留存副本，并可以根据培训机构的需要出具相应的船员培训课程确认证明。

第十二条　培训课程经确认后，培训机构应当按照确认的课程开展培训。

船员培训大纲发生变化，培训机构应当及时对培训课程进行调整，并经海事管理机构重新确认。

经确认的培训课程发生重大变化的，培训机构应及时向直属海事管理机构或省级地方海事管理机构报告课程变动情况，并经海事管理机构重新确认。

第4章　基于IMO示范课程的轮机岗位培训课程确认设置

我国海事管理机构对培训课程的确认，主要核实培训课程安排对实施《培训和考试大纲》的覆盖性、符合性和可行性。轮机岗位课程确认主要体现在如下方面：

(1)轮机岗位培训课程培训采用的培训教材和培训内容是否满足《培训和考试大纲》和水上交通安全、防治船舶污染等要求。

(2)轮机岗位培训课程培训内容的理论和实操学时安排是否合理，并符合《培训和考试大纲》的相应要求。

(3)轮机岗位培训课程的教学人员的数量是否满足培训规模的需要和教学能力是否胜任既定的培训目标。

(4)轮机岗位培训课程是否采用模拟器培训，如采用的，模拟器训练方案是否满足相应的训练要求，达到相应的训练目标。

(5)轮机岗位培训课程采用的培训方式和资源保障是否科学、有效，完成课程后是否能达到规定的适任标准。

(6)轮机岗位培训课程确认设置，结合我国主管机关要求，参考IMO示范课程来进行课程确认设置。

①轮机岗位培训课程确认设置参考IMO示范课程，应考虑IMO示范课程的作用与特点。

a. IMO示范课程是基于《STCW公约》和STCW规则最低要求设计的，它不是一成不变的，而是动态更新的，要根据行业的发展及公约要求的变化不断调整或更新，以保证示范课程一直处于实用和有效状态，使船员技能的培训更符合船上工作实际，具有较强的针对性和实用性。轮机岗位培训课程确认设置应充分考虑这一点，也应不断完善与更新。

b. 轮机岗位培训课程确认设置可参考IMO示范课程，融合培训相关要素，构成有机统一的整体。轮机岗位培训课程将涉及船员培训的教师、学员、培训设备和设施、教材及辅助资料、安全防护、考试方式、评估方法等培训相关要素有机融合在一起，对每个要素都做出相应的详细要求，如明确入学标准，强调轮机岗位培训课程学习资格，避免不符合条件的人员入学，使招生和培训有机结合。

c. 轮机岗位培训课程确认设置可参考IMO示范课程结构模块化，按照《STCW公约》发证要求设置。IMO示范课程是基于《STCW公约》最低适任要求开发的，这就决定了示范课程内容要紧贴公约要求，以《STCW公约》发证要求设置课程。示范课程内容设置上注重实践教学和实用性，纯理论教学不多，操作性较强；且知识结构层次分明，知识连贯、系统性强；同时用大量图片配合教学内容，学员易于理解掌握。

d. 轮机岗位培训课程设置和确认应根据《中华人民共和国船员培训管理规则》(2019

年修正）和我国履行《STCW公约》培训的要求来开展。为满足《STCW公约》关于课程认可的要求，我国2019年修订了《中华人民共和国船员培训管理规则》，修订后的《培训规则》明确了培训机构应当按照最新的《内河船舶船员适任培训和考试大纲》和水上交通安全、防治船舶污染等要求设置培训课程、编制培训计划并开展培训，培训机构开展培训的课程应当经过海事管理机构确认。

e. 轮机岗位培训课程确认应满足公约最低适任要求，加强实操项目训练

以往，我国船员培训是以学历教育为主的，尤其是三副、三管轮，这种培训理念限制了对示范课程和课程确认的应用。示范课程根据《STCW公约》最低适任要求设置内容，实用性、操作性强，学员易理解掌握。轮机岗位课程确认应避免重理论、轻实操，课程设置应合理安排，相关知识点、项目应相互关联设置。学员通过课程的各项内容的培训，能够丰富专业知识，其动手能力也可得到进一步的提升。

f. 海事主管机关应及时更新船员《培训和考试大纲》，并参考示范课程的模式和内容进行编写，系统融合培训内容、教学计划、学时和设施设备、教师等相关因素，建立内河船舶船员培训标准，供船员培训机构使用。这样既解决了现在以简单比例确定培训规模的问题，也为海事管理机构对培训课程认可提供了标准。

②实现轮机岗位培训课程的确认，需要做好以下几个方面的工作。

培训机构应参照IMO示范课程设置培训课程，组织完成培训课程确认的设置，评审培训机构应在提交培训项目许可申请前，参照IMO示范课程完成培训课程确认设置。在设置培训课程确认时，应当考虑以下几个方面：

a. 每天每一教师培训课时不能超过8小时；

b. 每一培训项目（课程）每天安排培训的时间也不能超过8小时；

c. 对可以合班的理论课程，不能超过2个班的规模；

d. 对于实操（实践）项目，应根据《培训和考试大纲》的分组人员要求和培训时间要求，合理安排教师、场地设备来进行培训教学，不能一位教师指导多组学员；

e. 对于实操（实践）项目的培训时间，应确保每一小组（人员）每一实操内容（项目）的培训时间不低于《培训和考试大纲》的培训时间要求；

f. 当《培训和考试大纲》模块与航海类各专业人才培训方案的课程目录不同时，可采用列明《培训和考试大纲》模块内容与轮机岗位课程培训方案的课程对照表。

完成培训课程确认设置后，培训机构组织具备资格的人员对拟开展的培训课程进行评审。评审人员应由海事管理机构、培训机构、航运企业三方人员组成。评审人员对申请培训项目拟开设的培训课程是否符合船员《培训和考试大纲》、水上交通安全和防治船舶污染等要求，以及是否满足培训目标进行审查，并出具评审报告。评审人员应满足资格要求，以确保评审的科学和公正。

第5章　内河轮机岗位培训课程确认材料编制要求

根据主管机关要求,编制课程确认材料,除法律规章的要求外,内河轮机岗位培训课程可按以下要求编制确认材料。

1. 培训计划

培训计划至少包括以下内容:

(1)课程培训目标

应根据内河轮机各岗位的要求,明确学员在完成该项目培训后,能够达到的适任能力水平或能够掌握的专业技能水平。

(2)课程培训规模

本培训计划所适用的培训规模,是指主管机关许可的内河轮机岗位培训规模,该规模确定后,该培训计划中的每个培训内容均按此规模设计。

(3)学员入学标准

培训机构应根据内河轮机各岗位的相关规定,并结合自身办学要求,明确学员的招收录取标准,包括学员年龄、身体健康状况、水上服务资历等。同时,培训机构要在制订培训计划时,根据录用学员入门水平的差异做出相应的调整。

(4)总课时安排

应列明理论课和实践课的总课时安排;同时须列明该培训项目中每一门课程的学时安排,培训的总学时不能少于主管机关最新公布的《内河船舶船员适任培训和考试大纲》中规定的学时。

(5)教学人员

教学人员是指担任该培训项目经许可验收过的教师。根据主管机关的要求,80%的教学人员应该通过中华人民共和国海事局组织的考试。

(6)场地、设施与设备清单

该培训课程实施过程中所使用的硬件和软件设备,场地、设施与设备要满足法律规章的最低要求,注意场地及设备的“自有”与“租用”,要求“自有”场地及设备必须是培训机构自有的,不能租用。

(7)教材、实训指导书、教辅工具及参考资料

明确该培训课程所使用的教材、实训指导书、教辅工具及参考资料等,提供的教材如不能覆盖大纲内容,必须提供补充教材或讲义(覆盖大纲内容)。

(8)教学大纲(可通过课程表方式体现)

①培训内容安排。所安排的培训内容须体现《培训和考试大纲》的要求,诸如理论培训

安排在哪个科目中，具体到章节；实操培训安排了哪个训练，具体到训练方案；可以根据教学内容分组进行安排。

②培训方式。应明确本课程各模块内容所采用的培训方式，如课堂理论授课、模拟器培训、实验室设备培训、船上培训等方式。

③教师安排和师生配比。明确轮机岗位课程理论授课、实践训练的具体师生配比数，不能少于法律规章的最低要求，最好列表说明。

(9)教学管理和资源保障

包括组织教学实施、教学管理，相关制度和安全、应急措施的制订，教学管理人员的配备，以及教学效果的评价和改进方式等，重点是安全与环保。

2. 实操训练方案

实操训练方案，至少包括以下内容：

(1)明确学员分组情况，包括每组学员数量，学员之间的合理搭配情况；

(2)明确教师安排情况，包括教师姓名、数量、教师之间的合理分工与合作关系；

(3)详细的训练内容和训练时间安排，建议将课表与实施计划详细列明；

(4)设定的实训环境、条件，以及使用的实训设施设备；

(5)实训结束后学员应达到的大纲要求的能力水平；

(6)适当的实训考核方法和安排，明确对学员的培训考核安排，包括是否合格的判定标准、考核不合格学员的处置及补训安排等。

3. 采用模拟器培训

采用模拟器培训的，还应提交模拟器训练方案及满足相应训练要求的测试报告。

培训机构应保证每个训练方案均在模拟器上实际测试过，并确定是满足训练要求的，据此形成一个测试报告。最好根据内河轮机岗位《培训和考试大纲》中的实操项目来制订相应的模拟器训练方案。该报告至少包含：训练内容与模拟器所具备的硬件设备、软件环境、训练性能是否匹配；训练方案设计是否完整、合理、符合逻辑，通常至少要明确模拟器训练的初始状态、结束状态，训练过程中场景设置、事件（应急、偶发、常规）设定、人员（学员、教师）活动安排，是否能完全包含训练内容并达到预期的训练效果；测试人员姓名和测试日期。

第 6 章　内河一类轮机长培训课程确认

本章参考 IMO 示范课程,并根据我国相关法规及通知精神,以内河轮机岗位一类轮机长培训课程确认作为蓝本,编制内河轮机岗位一类轮机长培训课程确认材料。

6.1　课程培训目标

该课程通过船舶常识、树立安全与环保意识、遵守法律法规、船舶柴油机结构原理、操作与管理船舶柴油机、操作与管理船舶防污设备、船舶轴系与推进器、安全用电基础知识、操作与管理船舶电站、操作与管理船舶用电设备、船舶自动控制系统、安全值班、应急情况处理、机舱管理、船机修复工艺、主推进动力装置检修、液压机械设备检修等各职能模块内容对学员进行理论和实践培训,满足《内河船舶船员适任培训和考试大纲(2019 版)》对内河轮机岗位一类轮机长培训课程的内容要求,使学员通过考试后能达到内河轮机岗位一类轮机长适任的要求。

6.2　课程培训规模

内河轮机岗位一类轮机长培训课程规模为 40 人/班,各培训机构严格按照主管机关批复的培训规模进行培训。在培训计划中的每个培训内容均按此规模设计。

6.3　学员入学标准

(1)年满 18 周岁但不超过 60 周岁。

(2)符合国家海事管理机构规定的内河船舶船员适任岗位健康标准(具有最近 2 年内的符合内河船舶船员适任岗位健康标准的体检证明)。

(3)具备有效的水上服务资历,且资历必须是真实的。

表 6 - 1 所示为内河船舶船员身体条件要求。

表 6－1　内河船舶船员身体条件要求

检查项目	合格标准
视力	驾驶部船员:双眼裸视力 4.7(0.5)及以上,且矫正视力均能达到 4.9(0.8)及以上; 轮机部船员:双眼裸视力 4.6(0.4)及以上,且矫正视力均能达到 4.8(0.6)及以上。 其他船员:按照轮机部船员标准
色觉	甲板部:无色盲、色弱、夜盲者为辨色力合格; 轮机部及其他:无红绿色盲、夜盲者为辨色力合格
听力	两耳分别距音叉 50 cm 且能辨别声源方向为合格
血压	血压不高于 18.66/12.0 kPa(140/90 mmHg),或者不低于 12.0/8.0 kPa(90/60 mmHg)者为合格
四肢	四肢无运动功能性障碍者为合格
语言表达能力	语言表达无障碍,口齿清楚,无口吃者为合格
眼病及其他	1. 双眼以没有重度沙眼、斜视和其他严重眼疾者为合格; 2. 无申告事项所列疾病或情况者为合格

6.4　总课时安排

1. 课程理论与实操课时安排

表 6－2 所示为课程理论与实操课时安排。

表 6－2　课程理论与实操课时安排

内容	大纲要求课时			实际课时		
	总课时	理论课时	实操课时	总课时	理论课时	实操课时
一类轮机长	112	76	36	108	72	36

注:①每 1 课时为 1 小时;

②大纲要求 112 总课时,实际安排 108 总课时。《内河船舶船员适任培训和考试大纲(2019 版)》中,带＊号的内容只适用于长江水系,“＊操作与管理分油机”理论 2 课时,“＊操作与管理船舶锅炉”理论 2 课时,共 4 课时,不安排培训。如是长江水系的培训机构,则应加上这 4 课时。

③本课程培训共 19 天,其中理论 11.5 天,实操 7.5 天,详见 6.8“培训课程表(教学大纲)”和 6.11“实操教学方案”。

2. 课程科目时间分配表

培训总课时为 108,一类轮机长的课程培训分为“主推进动力装置”“船舶辅机与电气”和“机舱管理”三门课程,其中“主推进动力装置”为 47.5 课时(理论 29 课时,实操 18.5 课时),“船舶辅机与电气”为 28.5 课时(理论 20 课时,实操 8.5 课时),“机舱管理”为 32 课时

（理论23课时，实操9课时）。各课程与《内河船舶船员适任培训和考试大纲》培训内容及课时分配如下：

（1）“主推进动力装置”课时分配见表6－3。

表6－3 “主推进动力装置”课时分配

<table>
<tr><th rowspan="3">大纲培训任务</th><th rowspan="3">《内河船舶船员适任培训和考试大纲（2019版）》培训内容</th><th colspan="3">培训时间</th></tr>
<tr><th>总课时</th><th>理论课时</th><th>实操课时</th></tr>
<tr><th>47.5</th><th>29</th><th>18.5</th></tr>
<tr><td rowspan="15">船舶柴油机结构原理</td><td>1. 船舶柴油机原理</td><td rowspan="5">2.5</td><td rowspan="5">2</td><td rowspan="5">0.5课时/组（每组不超8人）</td></tr>
<tr><td>1.1 知识要求</td></tr>
<tr><td>1.1.1 四冲程柴油机的工作原理</td></tr>
<tr><td>1.1.2 四冲程柴油机定时</td></tr>
<tr><td>1.1.3 柴油机新技术</td></tr>
<tr><td>1.2 实操训练</td><td rowspan="5">3</td><td rowspan="5">1</td><td rowspan="5">2课时/组（每组不超8人）</td></tr>
<tr><td>1.2.1 压缩压力测量和爆压的测量实训</td></tr>
<tr><td>2. 船舶柴油机主要部件的结构与功能</td></tr>
<tr><td>2.1 实操训练</td></tr>
<tr><td>2.1.1 柴油机曲轴臂距差测量、分析与判断</td></tr>
<tr><td>3. 柴油机增压装置</td><td rowspan="5">3</td><td rowspan="5">1</td><td rowspan="5">2课时/组（每组不超4人）</td></tr>
<tr><td>3.1 知识要求</td></tr>
<tr><td>3.1.1 废气涡轮增压的特点</td></tr>
<tr><td>3.2 实操训练</td></tr>
<tr><td>3.2.1 废气涡轮增压器常见故障排除方法</td></tr>
<tr><td rowspan="12">操作与管理船舶柴油机</td><td>1. 船舶柴油机动力系统</td><td rowspan="12">10</td><td rowspan="12">6</td><td rowspan="12">4课时/组（每组不超8人）</td></tr>
<tr><td>1.1 知识要求</td></tr>
<tr><td>1.1.1 船舶柴油机换气系统</td></tr>
<tr><td>1.1.2 燃烧基本知识与船舶柴油机燃油系统</td></tr>
<tr><td>1.1.3 船舶柴油机润滑系统</td></tr>
<tr><td>1.1.4 船舶柴油机冷却系统</td></tr>
<tr><td>1.1.5 船舶柴油机操纵系统</td></tr>
<tr><td>1.2 实操训练</td></tr>
<tr><td>1.2.1 配气系统常见故障的分析判断</td></tr>
<tr><td>1.2.2 燃油系统常见故障的分析判断</td></tr>
<tr><td>1.2.3 柴油机润滑系统常见故障的分析判断</td></tr>
<tr><td>1.2.4 柴油机冷却系统常见故障的分析判断</td></tr>
</table>

表 6－3(续 1)

大纲培训任务	《内河船舶船员适任培训和考试大纲(2019 版)》培训内容	培训时间		
		总课时	理论课时	实操课时
		47.5	29	18.5
操作与管理船舶柴油机	2. 船舶柴油机运行管理	3	2	1 课时/组(每组不超 8 人)
	2.1　知识要求			
	2.1.1　船舶柴油机运转中的检查(热力、机械)			
	2.1.2　船舶柴油机运行中一般故障判断(异常烟色、异常温度、异常压力、异常转速、异常声响、跑冒滴漏)			
	2.2　实操训练			
	2.2.1　船舶主柴油机启动后的参数监测和调整(水温、水压、油温、油压)			
	2.2.2　船舶主柴油机修理后的参数监测和调整(机动运行及定速操作)			
船舶轴系与推进器	1. 船舶轴系	6	4	2 课时/组(每组不超 8 人)
	1.1　知识要求			
	1.1.1　典型推力轴承的结构、工作原理、维护管理和检修方法			
	1.1.2　船舶轴系偏移和曲折值的测量和校中方法			
	1.1.3　船舶轴系扭转振动的概念及减振措施			
	1.2　实操训练			
	1.2.1　船舶轴系校中			
	2. 船舶推进器	5	4	1 课时/组(每组不超 8 人)
	2.1　知识要求			
	2.1.1　螺旋桨空泡的产生原因及其危害			
	2.2　实操训练			
	2.2.1　螺旋桨的螺距测量			
	2.2.2　螺旋桨的静平衡实验			
船机修复工艺	1.　船机修复工艺	2	2	0
	1.1　知识要求			
	1.1.1　船机零件的缺陷检验(常规检查)			
	1.1.2　船机零件的修复工艺			
	1.1.3　船机维修过程			
	1.1.4　现代船舶维修			

表 6－3(续 2)

<table>
<tr><td rowspan="3">大纲培训任务</td><td rowspan="3">《内河船舶船员适任培训和考试大纲(2019 版)》培训内容</td><td colspan="3">培训时间</td></tr>
<tr><td>总课时</td><td>理论课时</td><td>实操课时</td></tr>
<tr><td>47.5</td><td>29</td><td>18.5</td></tr>
<tr><td rowspan="24">主推进动力装置检修</td><td>1. 气缸盖及气阀的检修</td><td rowspan="6">3</td><td rowspan="6">1</td><td rowspan="6">2 课时/组
(每组不超 8 人)</td></tr>
<tr><td>1.1　知识要求</td></tr>
<tr><td>1.1.1　气缸盖的检修(气缸盖裂纹的检查、气缸盖气阀座面的检修)</td></tr>
<tr><td>1.2　实操训练</td></tr>
<tr><td>1.2.1　气缸盖拆装与检查</td></tr>
<tr><td>2. 柴油机主轴承、止推轴承及推力轴承的检修</td></tr>
<tr><td>2.1　知识要求</td><td rowspan="6">3</td><td rowspan="6">1</td><td rowspan="6">2 课时/组
(每组不超 8 人)</td></tr>
<tr><td>2.1.1　止推轴承的检修</td></tr>
<tr><td>2.1.2　推力轴承的检修</td></tr>
<tr><td>2.2　实操训练</td></tr>
<tr><td>2.2.1　柴油机止推轴承的检查</td></tr>
<tr><td>2.2.2　柴油机推力轴承的检查</td></tr>
<tr><td>3. 废气涡轮增压器的检修</td><td rowspan="5">4</td><td rowspan="5">2</td><td rowspan="5">2 课时/组
(每组不超 4 人)</td></tr>
<tr><td>3.1　知识要求</td></tr>
<tr><td>3.1.1　废气涡轮增压器的检修</td></tr>
<tr><td>3.2　实操训练</td></tr>
<tr><td>3.2.1　增压器 K 值的检查</td></tr>
<tr><td>4. 传动齿轮系检修</td><td rowspan="3">1</td><td rowspan="3">1</td><td rowspan="3">0</td></tr>
<tr><td>4.1　知识要求</td></tr>
<tr><td>4.1.1　传动齿轮系的检修</td></tr>
<tr><td>5. 轴系检查</td><td rowspan="5">2</td><td rowspan="5">2</td><td rowspan="5">0</td></tr>
<tr><td>5.1　知识要求</td></tr>
<tr><td>5.1.1　轴系的检测</td></tr>
<tr><td>5.1.2　中间轴承的检修</td></tr>
<tr><td>5.1.3　艉轴管装置的检修</td></tr>
</table>

（2）“船舶辅机与电气”课时分配见表 6－4。

表 6－4　“船舶辅机与电气”课时分配

<table>
<tr><th rowspan="3">大纲培训任务</th><th rowspan="3">《内河船舶船员适任培训和考试大纲（2019 版）》培训内容</th><th colspan="3">培训时间</th></tr>
<tr><th>总课时</th><th>理论课时</th><th>实操课时</th></tr>
<tr><th>28.5</th><th>20</th><th>8.5</th></tr>
<tr><td rowspan="5">操作与管理甲板机械</td><td>1. 操作与管理甲板机械</td><td rowspan="5">2.5</td><td rowspan="5">2</td><td rowspan="5">0.5 课时/组（每组不超 8 人）</td></tr>
<tr><td>1.1　知识要求</td></tr>
<tr><td>1.1.1　电动液压舵机</td></tr>
<tr><td>1.2　实操训练</td></tr>
<tr><td>1.2.1　舵机修理后的操作与调试</td></tr>
<tr><td rowspan="5">安全用电基础知识</td><td>1. 安全用电常识</td><td rowspan="5">2</td><td rowspan="5">2</td><td rowspan="5">0</td></tr>
<tr><td>1.1　知识要求</td></tr>
<tr><td>1.1.1　安全用电</td></tr>
<tr><td>1.1.2　触电安全防护措施</td></tr>
<tr><td>1.1.3　电器防火、防爆常识</td></tr>
<tr><td rowspan="23">操作与管理船舶电站</td><td>1. 电力系统管理</td><td rowspan="7">2.5</td><td rowspan="7">2</td><td rowspan="7">0.5 课时/组（每组不超 4 人）</td></tr>
<tr><td>1.1　知识要求</td></tr>
<tr><td>1.1.1　船舶电网的组成、分类及线制</td></tr>
<tr><td>1.1.2　船舶电网的保护</td></tr>
<tr><td>1.1.3　配电板主开关跳闸的原因及应急处理</td></tr>
<tr><td>1.2　实操训练</td></tr>
<tr><td>1.2.1　航行中主开关跳闸情况的应急处理及各种跳闸的故障排除</td></tr>
<tr><td>2. 电站操作与管理</td><td rowspan="16">8</td><td rowspan="16">4</td><td rowspan="16">4 课时/组（每组不超 8 人）</td></tr>
<tr><td>2.1　知识要求</td></tr>
<tr><td>2.1.1　同步发电机的并车方法</td></tr>
<tr><td>2.1.2　同步发电机无功功率的分配</td></tr>
<tr><td>2.1.3　同步发电机有功功率的分配</td></tr>
<tr><td>2.1.4　逆功率继电器</td></tr>
<tr><td>2.1.5　同步发电机自动调压装置功能及分类</td></tr>
<tr><td>2.1.6　重要负载的供电方式及自动分级卸载的作用</td></tr>
<tr><td>2.1.7　同步发电机的保护及保护装置</td></tr>
<tr><td>2.1.8　同步发电机的典型故障与处理</td></tr>
<tr><td>2.2　实操训练</td></tr>
<tr><td>2.2.1　同步发电机的并车操作</td></tr>
<tr><td>2.2.2　同步发电机有功功率的分配和调节</td></tr>
<tr><td>2.2.3　同步发电机的卸载及停车操作</td></tr>
<tr><td>2.2.4　发电机不能建立电压故障排除</td></tr>
<tr><td>2.2.5　排除电网常见故障</td></tr>
</table>

表6-4(续1)

<table>
<tr><th rowspan="3">大纲培训任务</th><th rowspan="3">《内河船舶船员适任培训和考试大纲(2019版)》培训内容</th><th colspan="3">培训时间</th></tr>
<tr><th>总课时</th><th>理论课时</th><th>实操课时</th></tr>
<tr><th>28.5</th><th>20</th><th>8.5</th></tr>
<tr><td rowspan="12">操作与管理船舶用电设备</td><td>1.用电设备操作</td><td rowspan="6">2</td><td rowspan="6">2</td><td rowspan="6">0</td></tr>
<tr><td>1.1　知识要求</td></tr>
<tr><td>1.1.1　异步电动机的启动、制动、换向和调速</td></tr>
<tr><td>1.1.2　三相异步电动机常见故障及其处理</td></tr>
<tr><td>1.1.3　电力推动船舶简介</td></tr>
<tr><td>2.船舶常用低压电气设备</td></tr>
<tr><td>2.1　知识要求</td><td rowspan="6">5</td><td rowspan="6">4</td><td rowspan="6">1课时/组
(每组不超4人)</td></tr>
<tr><td>2.1.1　控制电器的常见故障及其处理</td></tr>
<tr><td>2.1.2　典型控制电路的分析</td></tr>
<tr><td>2.1.3　交流三速锚机电路简介</td></tr>
<tr><td>2.2　实操训练</td></tr>
<tr><td>2.2.1　锚机控制常见故障的排除并能测量电磁制动器的间隙</td></tr>
<tr><td rowspan="7">船舶自动控制系统</td><td>1.机舱控制系统</td><td rowspan="7">2.5</td><td rowspan="7">2</td><td rowspan="7">0.5课时/组
(每组不超8人)</td></tr>
<tr><td>1.1　知识要求</td></tr>
<tr><td>1.1.1　双位控制调节</td></tr>
<tr><td>1.1.2　船用传感器</td></tr>
<tr><td>1.1.3　主机遥控系统的种类、组成及实例</td></tr>
<tr><td>1.2　实操训练</td></tr>
<tr><td>1.2.1　双位控制调节操作</td></tr>
<tr><td rowspan="7">液压机械设备检修</td><td>1.检修液压机械设备</td><td rowspan="7">4</td><td rowspan="7">2</td><td rowspan="7">2课时/人</td></tr>
<tr><td>1.1　知识要求</td></tr>
<tr><td>1.1.1　液压阀件的检修</td></tr>
<tr><td>1.1.2　液压油泵的检修</td></tr>
<tr><td>1.2　实操训练</td></tr>
<tr><td>1.2.1　液压阀件的拆装</td></tr>
<tr><td>1.2.2　液压油泵的拆装</td></tr>
</table>

(3)“机舱管理”课时分配见表 6－5。

表 6－5　“机舱管理”课时分配

大纲培训任务	《内河船舶船员适任培训和考试大纲(2019 版)》培训内容	培训时间		
		总课时	理论课时	实操课时
		32	23	9
船舶常识	1. 船舶基本参数 1.1　知识要求 1.1.1　船舶阻力对船舶航行的影响	1	1	0
树立安全与环保意识	1. 安全及环保意识 1.1　知识要求 1.1.1　案例分析、责任划分	1	1	0
遵守法律法规	1. 法律法规 1.1　知识要求 1.1.1　《中华人民共和国船员条例》 1.1.2　《内河交通安全管理条例》 1.1.3　《内河交通事故调查处理规则》 1.1.4　《内河船舶最低安全配员标准》 1.1.5　《内河船舶船员适任考试和发证规则》 1.1.6　《船员违法记分办法》 1.1.7　《船舶安全监督规则》 1.1.8　《内河船舶船员值班规则》 1.1.9　其他相关法律法规 1.1.10　最新内河相关法规查询方法	2	2	0
操作与管理船舶防污设备	1. 操作与管理生活污水处理装置 1.1　知识要求 1.1.1　生活污水排放控制 1.1.2　生活污水处理装置性能要求	1	1	0
安全值班	1. 保持正常安全值班 1.1　知识要求 1.1.1　轮机部船员职务及职责 1.2　实操训练 1.2.1　根据机舱布置图安排机舱巡回检查路线	2	1	1 课时/人

表 6－5(续 1)

大纲培训任务	《内河船舶船员适任培训和考试大纲(2019 版)》培训内容	培训时间		
		总课时	理论课时	实操课时
		32	23	9
应急情况处理	1. 柴油机的各种应急情况处理	4	2	2 课时/组(每组不超 8 人)
	1.1　知识要求			
	1.1.1　柴油机滑油温度过高、滑油失压的原因及应急处理措施			
	1.1.2　柴油机冷却水温度过高的原因及应急处理措施			
	1.1.3　柴油机拉缸的原因及应急处理措施			
	1.1.4　柴油机敲缸的种类、原因及应急处理措施			
	1.1.5　柴油机排温过高的原因及应急处理措施			
	1.1.6　柴油机封缸运行的应急处理措施			
	1.1.7　柴油机曲轴箱爆炸的原因、预防及应急处理措施			
	1.1.8　增压器运行故障的应急处理措施			
	1.1.9　柴油机紧急停车操作			
	1.1.10　主机应急机旁操纵			
	1.2　实操训练			
	1.2.1　柴油机运行中滑油温度、压力异常现象分析和应急处理步骤			
	1.2.2　柴油机运行中冷却水温度过高原因分析和应急处理步骤			
	1.2.3　柴油机运行中敲缸原因判断和应急处理步骤			
	1.2.4　柴油机紧急停车操作步骤			
	2. 船舶应急应变	8	4	4 课时/组(每组不超 8 人)
	2.1　知识要求			
	2.1.1　船舶搁浅应急措施			
	2.1.2　船舶碰撞应急措施			
	2.1.3　船舶溢油污染事故应急措施			
	2.1.4　全船失电应急措施			
	2.1.5　机舱进水应急措施			
	2.1.6　机舱火灾应急措施			
	2.1.7　舵机失灵应急措施			
	2.2　实操训练			
	2.2.1　组织船舶搁浅、碰撞、污染和机舱进水、灭火、舵机失灵演习			

表 6－5(续 2)

大纲培训任务	《内河船舶船员适任培训和考试大纲(2019 版)》培训内容	培训时间		
		总课时	理论课时	实操课时
		32	23	9
机舱管理	1. 轮机部日常工作安排及各种作业安全注意事项	1	1	0
	1.1　知识要求			
	1.1.1　轮机部各种作业安全注意事项			
	2. 船舶修理业务	2		
	2.1　知识要求			
	2.1.1　编制修船计划			
	2.1.2　编制主要工程摘要单及修理单			
	2.1.3　坞修工程(水线工程)			
	2.1.4　修造船后的试验			
	2.1.5　厂修值班有关要求			
	3. 船舶检验及安全检查相关要求	4	4	0
	3.1　知识要求			
	3.1.1　船舶证书种类和管理			
	3.1.2　船舶检验			
	3.1.3　船舶安全检查			
	3.1.4　船舶机电设备效用试验			
	3.1.5　船舶应变部署			
	3.1.6　船舶安全管理体系			
	4. 轮机部文件与资料管理	1	1	1 课时/组(每组不超 8 人)
	4.1　知识要求			
	4.1.1　轮机部文件资料			
	4.1.2　轮机部技术资料			
	4.1.3　机舱各种记录簿的使用、保管要求			
	5. 船舶油料、物料、备件管理	2	1	1 课时/组(每组不超 8 人)
	5.1　知识要求			
	5.1.1　燃油管理			
	5.1.2　滑油管理			
	5.1.3　物料管理			
	5.1.4　备件管理			
	5.2　实操训练			
	5.2.1　燃油加装及测量模拟训练			

表 6－5(续 2)

<table>
<tr><th rowspan="3">大纲培训任务</th><th rowspan="3">《内河船舶船员适任培训和考试大纲(2019 版)》培训内容</th><th colspan="3">培训时间</th></tr>
<tr><th>总课时</th><th>理论课时</th><th>实操课时</th></tr>
<tr><th>32</th><th>23</th><th>9</th></tr>
<tr><td rowspan="8">机舱管理</td><td>6. 内河轮机团队管理</td><td rowspan="8">3</td><td rowspan="8">2</td><td rowspan="8">1 课时/组
(每组不超 8 人)</td></tr>
<tr><td>6.1　知识要求</td></tr>
<tr><td>6.1.1　船上人员管理</td></tr>
<tr><td>6.1.2　树立团队精神</td></tr>
<tr><td>6.1.3　培养领导能力</td></tr>
<tr><td>6.1.4　情景意识培养</td></tr>
<tr><td>6.2　实操训练</td></tr>
<tr><td>6.2.1　机舱情景模拟训练</td></tr>
</table>

6.5 教学人员

根据《中华人民共和国船员培训管理规则》的要求,投入满足条件的教师 4 名参加培训教学。所有教师都持有符合要求的适任证书,对课程全部内容都全面熟悉和掌握,也一直从事该岗位课程培训教学。

主管机关批复给中心的培训规模为 40 人/班,目前有 4 位教师,培训师资符合《中华人民共和国船员培训管理规则》中对内河轮机岗位一类轮机长培训课程师资的要求,能满足该培训项目培训规模的培训教学要求。教师名单见表 6－6。

表 6－6　教师名单

<table>
<tr><th rowspan="3">序号</th><th rowspan="3">姓名</th><th rowspan="3">学历</th><th rowspan="3">专业</th><th rowspan="3">所持证书</th><th colspan="7">轮机专业</th><th rowspan="3">备注
(是否兼职)</th></tr>
<tr><th colspan="6">理论教学课程</th><th rowspan="2">实际操作教学</th></tr>
<tr><th>主推进动力装置</th><th>船舶辅机与电气</th><th>机舱管理</th><th>轮机基础</th><th>船舶动力装置</th><th>轮机管理</th></tr>
<tr><td>1</td><td>A</td><td>本科</td><td>轮机</td><td>甲类轮机长</td><td>√</td><td>√</td><td>√</td><td>√</td><td>√</td><td>√</td><td>√</td><td>自有,已通过师资培训</td></tr>
<tr><td>2</td><td>B</td><td>中专</td><td>轮机</td><td>一类轮机长</td><td>√</td><td>√</td><td>√</td><td>√</td><td>√</td><td>√</td><td>√</td><td>自有,已通过师资培训</td></tr>
<tr><td>3</td><td>C</td><td>中专</td><td>轮机</td><td>一类轮机长</td><td>√</td><td>√</td><td>√</td><td>√</td><td>√</td><td>√</td><td>√</td><td>自有,已通过师资培训</td></tr>
<tr><td>4</td><td>D</td><td>中专</td><td>轮机</td><td>甲类大管轮</td><td>√</td><td>√</td><td>√</td><td>√</td><td>√</td><td>√</td><td>√</td><td>自有,已通过师资培训</td></tr>
</table>

6.6　培训场地、设施、设备情况

根据最新的法律法规对培训课程进行场地、设施、设备配备，并通过主管机关的核验，场地、设施、设备处于良好状态，满足培训要求，见表 6－7。

表 6－7　培训场地、设施、设备情况

配备标准		目前实际配备情况			
场地、设施、设备名称	要求	实际数量	实际状态	所有权	备注（注明变更情况）
多媒体教室	1 间，能容纳 40 人，带多媒体功能	1 间	能容纳 40 人	租用	场地可租用，包括投影仪、电脑
陈列室	1 间，陈列教学、实操设备和器材	1 间	良好	租用	场地可租用，存放教学资料、实操设备和器材，有陈列架、柜
柴油机*	1 台	2 台	良好	自有	1 台可运行，1 台供拆装
自动控制辅助锅炉，或模拟装置，或多媒体教材	1 台（套）	1 台（套）	良好	自有	
空压机	1 台	2 台	良好	自有	可持续运行 10 min 以上
往复泵、齿轮泵、离心泵、手摇泵	各 1 台	各 2 台	良好	自有	供拆装训练使用
分油机或多媒体视频教材	1 台（套）	1 台（套）	旧	自有	
油水分离器	1 台	2 台	旧	自有	
常用液压阀件实物及挂图	5 种	5 种	良好	自有	
常用制冷控制元件及挂图	1 套	5 种	良好	自有	
模拟船舶电站*	1 座	1 座	良好	自有	带并电设备，或满足并电实操训练用船舶 1 艘
主配电板	1 套	1 套	全新	自有	
常规电工工具	5 套	5 套	全新	自有	

表6-7(续)

配备标准		目前实际配备情况			
场地、设施、设备名称	要求	实际数量	实际状态	所有权	备注(注明变更情况)
船舶电气仪表	2套	4套	全新	自有	包括万用表、交流电压表、交流电流表、钳型电流表、便携式兆欧表等
中、高速柴油机喷油器	4只	4只	良好	自有	供拆装和实验训练用
喷油器试验设备	1套	2套	良好	自有	
钳工标准作业台	5个	5个	良好	自有	
砂轮机	2个	2个	良好	自有	
常用量具	2套	4套	良好	自有	游标卡尺、千分尺、塞尺、直尺、角规等
常规拆装工具	3套	4套	良好	自有	
常用控制电器	各1件	各4件	良好	自有	
电控液压变速齿轮箱	1台	1台	良好	自有	
相关资料	1套	1套	良好	自有	主要设备教学用挂图,内河船员培训、考试和发证管理方面的法律法规及技术规范

注:* 表示关键设备。

6.7 教材、实训指导书、教辅工具及参考资料

1. 教材

表6-8所示为采用教材情况。

表6-8 采用教材情况

序号	教材名称	主编	出版社
1	《主推进动力装置》	韩雪峰、陈文彬	大连海事大学出版社
2	《机舱管理》	宿靖波、王松明	大连海事大学出版社
3	《船舶辅机与电气》	刘德宽、姚昌栋	大连海事大学出版社

采用的教材内容能满足《培训和考试大纲》和水上交通安全、防治船舶污染等要求。对《主推进动力装置》《机舱管理》和《船舶辅机与电气》这三种图书中没有的内容，使用自编讲义。

2. 实训指导书

见 6.13“课程实操指南”。

3. 教辅工具及参考资料

(1)教辅工具

除本课程规定配备的设备、设施外，本课程所有教学管理人员及教师建立了教学管理微信群和学员微信群，通过微信群在培训期间向学员发布培训学习资料(培训要求、培训练习题、培训教学视频等)。

(2)参考资料

表 6-9 所示为参考资料统计情况。

表 6-9　参考资料统计情况

序号	资料目录	数量
1	《轮机基础》	10
2	《内河船舶船员适任培训和考试大纲(2019 版)》	1
3	培训教学录像	10
4	《海事法律汇编》	1
5	轮机岗位补充内容自编讲义	40

6.8　培训课程表(教学大纲)

课程安排：理论课程 10.5 天，实操课程 8.5 天，共 19 天。

理论课程安排根据科目各安排 1 位教师上课，理论课程师生比为 1:40，理论课程上课时间为 10.5 天，每天上课 7 小时(上午 3 小时，下午 4 小时)；上午 08:30—11:50，下午 13:30—18:00。

实操课程 8.5 天，每天培训 8 小时(上午 4 小时，下午 4 小时)，上午 07:40—12:10，下午 13:30—18:00，根据《培训和考试大纲》分组进行。实操课程师生比根据《培训和考试大纲》的分组人数要求设定。详细安排见 6.11“实操教学方案”。表 6-10 所示为一类轮机长培训课程表。

表 6 – 10　一类轮机长培训课程表

天数	时间	培训任务	培训内容	培训方式	教材/设备（教具）	教材章节	培训地点	学员/教员	师生比	备注
第 1 天	08:30—09:30	1. 职业素养——船舶常识	1. 船舶基本参数	课堂理论授课	轮机岗位补充内容自编讲义/PPT	第 9 章第 1 节	多媒体教室 1	1 ~ 40 号/A	1:40	
			1.1.1 船舶阻力对船舶航行的影响			第 9 章第 1 节				
	09:40—10:40	1. 职业素养——树立安全与环保意识	1. 安全及环保意识			第 2 章第 1 节				
			1.1.1 案例分析、责任划分			第 10 章第 1 节				
	10:50—11:50	1. 职业素养——遵守法律法规	1 法律法规		机舱管理/教学录像、PPT	第 11 章第 1 节				
			1.1.1《中华人民共和国船员条例》							
			1.1.2《中华人民共和国内河交通安全管理条例》			第 11 章第 1 节				
			1.1.3《中华人民共和国内河交通事故调查处理规定》			第 11 章第 1 节				
			1.1.4《内河船舶最低安全配员标准》			第 11 章第 1 节				
			1.1.5《中华人民共和国内河船舶船员适任考试和发证规则》			第 11 章第 1 节				
	13:30—14:30		1.1.6《船员违法记分办法》			第 11 章第 1 节				
			1.1.7《中华人民共和国船舶安全监督规则》			第 11 章第 1 节				
			1.1.8《中华人民共和国内河船舶船员值班规则》			第 11 章第 1 节				
			1.1.9 其他相关法律法规			第 11 章第 1 节				
			1.1.10 最新内河相关法规查询方法			第 11 章第 1 节				
	14:40—15:40	2. 船舶机械设备操作与管理——船舶柴油机结构原理	1. 船舶柴油机原理		主推进动力装置/挂图、教学录像、PPT	第 1 章第 1 ~ 2 节		1 ~ 40 号/B		
			1.1.1 四冲程柴油机的工作原理			第 1 章第 3 节				
	15:50—16:50		1.1.2 四冲程柴油机定时			第 1 章第 3 节				
			1.1.3 柴油机新技术		轮机岗位补充内容自编讲义/PPT	第 8 章第 1 节				

表 6 – 10(续 1)

天数	时间	培训任务	培训内容	培训方式	教材/设备（教具）	教材章节	培训地点	学员/教员	师生比	备注
第1天	17:00—18:00	2. 船舶机械设备操作与管理——船舶柴油机结构原理	2. 船舶柴油机主要部件的结构与功能	课堂理论授课	主推进动力装置/挂图、教学录像、PPT	第 2 章第 1 ~ 5 节	多媒体教室 1	1 ~ 40 号/B	1:40	
第2天	08:30—09:30		3. 柴油机增压装置			第 4 章第 1 节				
			3.1.1 废气涡轮增压器的特点			第 4 章第 3 节				
	09:40—10:40	2. 船舶机械设备操作与管理——操作与管理船舶柴油机	1. 船舶柴油机动力系统			第 3 章第 1 节				
			1.1 知识要求							
	10:50—11:50		1.1.1 船舶柴油机换气系统							
	13:30—14:30		1.1.2 燃烧基本知识与船舶柴油机燃油系统			第 3 章第 2 节				
	14:40—15:40		1.1.3 船舶柴油机润滑系统			第 3 章第 3 节				
	15:50—16:50		1.1.4 船舶柴油机冷却系统			第 3 章第 4 节				
	17:00—18:00		1.1.5 船舶柴油机操纵系统			第 3 章第 5 节				
第3天	08:30—09:30		2. 船舶柴油机运行管理		机舱管理/教学录像、PPT	第 2 章第 2 节		1 ~ 40 号/A		
			2.1 知识要求							
	09:40—10:40		2.1.1 船舶柴油机运转中的检查(热力、机械)			第 2 章第 2 节				
			2.1.2 船舶柴油机运行中一般故障判断(异常烟色、异常温度、异常压力、异常转速、异常声响、跑冒滴漏)			第 2 章第 3 节				

表 6-10(续 2)

天数	时间	培训任务	培训内容	培训方式	教材/设备（教具）	教材章节	培训地点	学员/教员	师生比	备注
第3天	10:50—11:50	2. 船舶机械设备操作与管理——操作与管理甲板机械	1 操作与管理舵机	课堂理论授课	船舶辅机与电气/挂图、教学录像、PPT	第 4 章第 5 节	多媒体教室 1	1～40 号/C	1:40	
	13:30—14:30		1.1.1 电动液压舵机							
	14:40—15:40	2. 船舶机械设备操作与管理——操作管理船舶防污设备	1. 操作与管理生活污水处理装置		机舱管理/教学录像、PPT	第 7 章第 1～2 节		1～40 号/A		
			1.1.1 生活污水排放控制			第 7 章第 2～4 节				
			1.1.2 生活污水处理装置性能要求							
	15:50—16:50	2. 船舶机械设备操作与管理——船舶轴系与推进器	1. 船舶轴系		主推进动力装置/PPT	第 5 章第 1 节		1～40 号/B		
	17:00—18:00		1.1.1 典型推力轴承的结构、工作原理、维护管理和检修方法			第 5 章第 1 节				
第4天	08:30—09:30		1.1.2 船舶轴系偏移和曲折值的测量和校中方法			第 5 章第 5 节				
	09:40—10:40		1.1.3 船舶轴系扭转振动的概念及减振措施			第 5 章第 5 节				
	10:50—11:50		2. 船舶推进器			第 5 章第 4 节				
	13:30—14:30 14:40—15:40 15:50—16:50		2.1.1 螺旋桨空泡的产生原因及其危害			第 5 章第 4 节				
	17:00—18:00	3. 船舶电气设备操作与管理——安全用电基础知识	1. 安全用电常识		船舶辅机与电气/挂图、教学录像、PPT	第 7 章第 1 节	多媒体教室 2	1～40 号/C		
			1.1.1 安全用电							
第5天	08:30—09:30		1.1.2 触电安全防护措施			第 10 章第 4 节				
			1.1.3 电器防火、防爆常识							

表 6 – 10(续 3)

天数	时间	培训任务	培训内容	培训方式	教材/设备(教具)	教材章节	培训地点	学员/教员	师生比	备注
第 5 天	09:40—10:40	3. 船舶电气设备操作与管理——操作与管理船舶电站	1. 电力系统管理	课堂理论授课	船舶辅机与电气/挂图、教学录像、PPT	第 10 章第 3 节	多媒体教室 2	1 ~ 40 号/C	1:40	
			1.1.1 船舶电网的组成、分类及线制							
	10:50—11:50		1.1.2 船舶电网的保护			第 10 章第 3 节				
			1.1.3 配电板主开关跳闸的原因及应急处理							
	13:30—14:30		2. 电站操作与管理			第 10 章第 3 节				
			2.1.1 同步发电机的并车方法			第 10 章第 4 节				
	14:40—15:40		2.1.2 同步发电机无功功率的分配			第 10 章第 3 节				
			2.1.3 同步发电机有功功率的分配			第 9 章第 2 节				
	15:50—16:50		2.1.4 逆功率继电器			第 9 章第 2 节				
			2.1.5 同步发电机自动调压装置功能及分类			第 9 章第 2 节				
	17:00—18:00		2.1.6 重要负载的供电方式及自动分级卸载的作用			第 9 章第 2 节				
			2.1.7 同步发电机的保护及保护装置			第 9 章第 2 节				
			2.1.8 同步发电机的典型故障与处理							
第 6 天	08:30—09:30	3. 船舶电气设备操作与管理——操作与管理船舶用电设备	1. 用电设备操作			第 9 章第 1 节				
			1.1.1 异步电动机的起动、制动、换向和调速							
	09:40—10:40		1.1.2 三相异步电动机常见故障及其处理			第 9 章第 1 节				
	10:50—11:50		1.1.3 电力推动船舶简介			第 10 章第 1 ~ 2 节				

表 6－10(续 4)

天数	时间	培训任务	培训内容	培训方式	教材/设备(教具)	教材章节	培训地点	学员/教员	师生比	备注
第6天	13:30—14:30	3. 船舶电气设备操作与管理——操作与管理船舶用电设备	2. 船舶常用低压电气设备	课堂理论授课	船舶辅机与电气/挂图、教学录像、PPT	第 10 章第 1～2 节	多媒体教室 2	1～40号/C	1:40	
			2.1.1 控制电器的常见故障及其处理							
	14:40—15:40	3. 船舶电气设备操作与管理——船舶自动控制系统	2.1.2 典型控制电路的分析			第 10 章第 1～2 节				
			2.1.3 交流三速锚机电路简介							
	15:50—16:50		1. 机舱控制系统			第 11 章第 1～2 节				
			1.1.1 双位控制调节			第 11 章第 1～2 节				
	17:00—18:00		1.1.2 船用传感器			第 11 章第 1～2 节				
第7天	08:30—09:30		1.2.3 主机遥控系统的种类、组成及实例			第 11 章第 2～3 节				
	09:40—10:40	4. 保持安全的轮机值班——安全值班	1. 保持正常安全值班		机舱管理/教学录像、PPT	第 4 章第 1～2 节		1～40号/A		
			1.1.1 轮机部船员职务及职责							
	10:50—11:50	4. 保持安全的轮机值班——应急情况处理	1. 柴油机的各种应急情况处理			第 2 章第 3 节				
			1.1.1 柴油机滑油温度过高、滑油失压的原因及应急处理措施			第 2 章第 3 节				
			1.1.2 柴油机冷却水温度过高的原因及应急处理措施			第 2 章第 3 节				
	13:30—14:30		1.1.3 柴油机拉缸的原因及应急处理措施			第 2 章第 3 节				
			1.1.4 柴油机敲缸的种类、原因及应急措施			第 2 章第 3 节				
	14:40—15:40		1.1.5 柴油机排温过高的原因及应急处理			第 2 章第 3 节				
			1.1.6 柴油机封缸运行的应急处理措施			第 2 章第 3 节				

表 6－10(续 5)

天数	时间	培训任务	培训内容	培训方式	教材/设备（教具）	教材章节	培训地点	学员/教员	师生比	备注
第7天	15:50—16:50	4. 保持安全的轮机值班——应急情况处理	1.1.7 柴油机曲轴箱爆炸的原因、预防及应急处理措施	课堂理论授课	机舱管理/教学录像、PPT	第 2 章第 3 节	媒体教室 2	1～40 号/A	1:40	
			1.1.8 增压器运行故障的应急处理			第 2 章第 3 节				
	17:00—18:00		1.1.9 柴油机紧急停车操作			第 2 章第 3 节				
			1.1.10 主机应急机旁操纵			第 2 章第 3 节				
			2. 船舶应急应变			第 9 章第 4 节				
			2.1.1 船舶搁浅应急措施			第 9 章第 4 节				
			2.1.2 船舶碰撞应急措施			第 9 章第 4 节				
			2.1.3 船舶溢油污染事故应急措施			第 9 章第 4 节				
第8天	08:30—09:30		2.1.4 全船失电应急措施			第 9 章第 4 节				
			2.1.5 机舱进水应急措施			第 9 章第 4 节				
			2.1.6 机舱火灾应急措施			第 9 章第 4 节				
			2.1.7 舵机失灵应急措施			第 9 章第 4 节				
	09:40—10:40	4. 保持安全的轮机值班——机舱管理	1. 轮机部日常工作安排及各种作业安全注意事项			第 4 章第 1～3 节				
			1.1 知识要求			第 4 章第 1～3 节				
			1.1.1 轮机部各种作业安全注意事项			第 4 章第 1～3 节				
	10:50—11:50		2 船舶修理业务		轮机岗位补充内容自编讲义/PPT	第 6 章第 1 节				
			2.1.1 编制修船计划			第 6 章第 1 节				
			2.1.2 编制主要工程摘要单及修理单			第 6 章第 1 节				
	13:30—14:30		2.1.3 坞修工程(水线工程)			第 6 章第 1 节				

表 6－10(续 6)

天数	时间	培训任务	培训内容	培训方式	教材/设备（教具）	教材章节	培训地点	学员/教员	师生比	备注
第 8 天	13:30—14:30	4. 保持安全的轮机值班——机舱管理	2.1.4 修造船后的试验	课堂理论授课	轮机岗位补充内容自编讲义/PPT	第 6 章第 1 节	多媒体教室 2	1～40 号/A	1:40	
			2.1.5 厂修值班有关要求			第 6 章第 1 节				
	14:40—15:40		3. 船舶检验及安全检查相关要求		机舱管理/教学录像、PPT	第 9 章第 1 节				
			3.1.1 船舶证书种类和管理			第 9 章第 1 节				
	15:50—16:50		3.1.2 船舶检验			第 9 章第 2 节				
			3.1.3 船舶安全检查			第 9 章第 5 节				
			3.1.4 船舶机电设备效用试验			第 9 章第 6 节				
	17:00—18:00		3.1.5 船舶应变部署			第 9 章第 4 节				
			3.1.6 船舶安全管理体系			第 9 章第 5 节				
			4. 轮机部文件与资料管理			第 10 章第 1 节				
			4.1.1 轮机部文件资料							
第 9 天	08:30—09:30		4.1.2 轮机部技术资料			第 10 章第 2 节				
			4.1.3 机舱各种记录的使用、保管要求			第 10 章第 2 节				
			5. 船舶油料、物料、备件管理			第 5 章第 1－4 节				
			5.1.1 燃油管理							
	09:40—10:40		5.1.2 滑油管理			第 5 章第 1 节				
			5.1.3 物料管理			第 5 章第 2 节				
	10:50—11:50		5.1.4 备件管理			第 5 章第 3 节				
			6. 内河轮机团队管理		轮机岗位补充内容自编讲义/PPT	第 8 章第 1 节				
			6.1.1 船上人员管理							

表 6 – 10(续 7)

天数	时间	培训任务	培训内容	培训方式	教材/设备（教具）	教材章节	培训地点	学员/教员	师生比	备注
第 9 天	13:30—14:30	4. 保持安全的轮机值班——机舱管理	6.1.2 树立团队精神	课堂理论授课	轮机岗位补充内容自编讲义/PPT	第 8 章第 1 节	多媒体教室 2	1～40 号/A	1:40	
			6.1.3 培养领导能力			第 8 章第 1 节				
	14:40—15:40		6.1.4 情景意识培养			第 8 章第 1 节				
	15:50—16:50	5. 船舶机电械设备检修——船机修复工艺	1. 船机修复工艺		轮机岗位补充内容自编讲义/PPT	第 8 章第 1 节				
			1.1.1 船机零件的缺陷检验(常规检查)			第 9 章第 2 节				
			1.1.2 船机零件的修复工艺			第 9 章第 2 节				
	17:00—18:00		1.1.3 船机维修过程			第 9 章第 2 节				
			1.1.4 现代船舶维修			第 9 章第 2 节				
第 10 天	08:30—09:30	5. 船舶机电械设备检修——主推进动力装置检修	1. 检修机舱辅助设备		主推进动力装置/教学录像、PPT	第 2 章第 2 节		1～40 号/B		
			1.1.1 汽缸盖的检修(气缸盖裂纹的检查、气缸盖气阀座面的检修)							
			2. 柴油机主轴承、止推轴承及推力轴承的检修			第 2 章第 1 节				
	09:40—10:40		2.1.1 止推轴承的检修							
			2.1.2 推力轴承的检修							
	10:50—11:50		3. 废气涡轮增压器的检修			第 4 章第 3 节				
	13:30—14:30		3.1.1 废气涡轮增压器的检修			第 4 章第 3 节				
			4. 传动齿轮系检修			第 2 章第 7 节				
	14:40—15:40		4.1.1 传动齿轮系的检修							

表 6-10(续 8)

天数	时间	培训任务	培训内容	培训方式	教材/设备(教具)	教材章节	培训地点	学员/教员	师生比	备注
第10天	15:50—16:50	5. 船舶机电械设备检修——主推进动力装置检修	5. 轴系检修	课堂理论授课	主推进动力装置/教学录像、PPT	第 5 章第 1 节	多媒体教室 2	1~40 号/B	1:40	
			5.1.1 轴系的检测							
	17:00—18:00		5.1.2 中间轴承的检修			第 5 章第 5 节				
			5.1.3 尾轴管装置的检修							
第11天	08:30—09:30	5. 船舶机电械设备检修——液压机械设备维修	1. 检修液压机械设备		船舶辅机与电气/教学录像、PPT	第 4 章第 1 节		1~40 号/C		
	09:40—10:40		1.1.1 液压阀件的检修			第 4 章第 2 节				
			1.1.2 液压油泵的检修			第 4 章第 3 节				
	10:50—11:50	休息								
	13:30—14:30	实操训练								
	14:40—15:40									
	15:50—16:50									
	17:00—18:00									

第 11~19 天为实操课程,实操课程详细分组及教学安排见 6.11“实操教学方案”和 6.13“课程实操指南”,实操 8.5 天,每天训练 8 小时(上午 4 小时,下午 4 小时),上午 07:40—12:10,下午 13:30—18:00,根据大纲分组进行。实操课程师生比根据主管机关培训大纲的分组人数要求设定。详细安排见 6.11“实操教学方案”。

天数	时间	培训任务	培训内容	培训方式	教材/设备(教具)	教材章节	培训地点	学员/教员	师生比	备注
第11天	13:30—14:30	2. 船舶机械设备操作与管理——操作与管理船舶柴油机	2.2.1 船舶主柴油机启动后的参数监测和调整(水温、水压、油温、油压) 2.2.2 船舶主柴油机修理后的参数监测和调整(机动运行及定速操作)	实训室设备培训	机舱管理/可运行柴油机 1 台	第 2 章第 3 节	轮机实操室	9~16 号/D	1:8	

表 6－10(续 9)

天数	时间	培训任务	培训内容	培训方式	教材/设备（教具）	教材章节	培训地点	学员/教员	师生比	备注
第11天	13:30—14:30	5. 船舶机电械设备检修——主推进动力装置检修	3.2.1 增压器 K 值的检查	实训室设备培训	主推进动力装置/可拆装柴油机 1 台、增压器 1 只	第 4 章第 3 节	轮机实操室	25～28 号/A	1:4	
		2. 船舶机械设备操作与管理——船舶柴油机结构原理	3.2.1 废气涡轮增压器常见故障排除方法	实训室设备培训	船舶辅机与电气/可运行柴油机 1 台、废气涡轮增压器 1 台	第 5 章第 6 节	轮机实操室	33～36 号/C	1:4	
		2. 船舶机械设备操作与管理——操作与管理船舶柴油机	1.2.1 配气系统常见故障的分析判断； 1.2.2 燃油系统的常见故障的分析判断； 1.2.3 柴油机润滑系统的常见故障分析判断； 1.2.4 柴油机冷却系统的常见故障分析判断	实训室设备培训	主推进动力装置/可运行柴油机 1 台	第 3 章第 1 节	轮机实操室	1～8 号/B	1:8	
	14:40—15:40	2. 船舶机械设备操作与管理——操作与管理船舶柴油机	2.2.1 船舶主柴油机启动后的参数监测和调整(水温、水压、油温、油压) 2.2.2 船舶主柴油机修理后的参数监测和调整(机动运行及定速操作)	实训室设备培训	机舱管理/可运行柴油机 1 台	第 2 章第 3 节	轮机实操室	17～24 号/D	1:8	

表 6-10(续 10)

天数	时间	培训任务	培训内容	培训方式	教材/设备（教具）	教材章节	培训地点	学员/教员	师生比	备注
第11天	14:40—15:40	5. 船舶机电械设备检修——主推进动力装置检修	3.2.1 增压器 K 值的检查	实训室设备培训	主推进动力装置/可拆装柴油机 1 台、增压器 1 只	第 4 章第 3 节	轮机实操室	25 ~ 28 号/A	1:4	
		2. 船舶机械设备操作与管理——船舶柴油机结构原理	3.2.1 废气涡轮增压器常见故障排除方法	实训室设备培训	船舶辅机与电气/可运行柴油机 1 台、废气涡轮增压器 1 台	第 5 章第 6 节	轮机实操室	33 ~ 36 号/C	1:4	
		2. 船舶机械设备操作与管理——操作与管理船舶柴油机	1.2.1 配气系统常见故障的分析判断; 1.2.2 燃油系统的常见故障的分析判断; 1.2.3 柴油机润滑系统的常见故障分析判断; 1.2.4 柴油机冷却系统的常见故障分析判断	实训室设备培训	主推进动力装置/可运行柴油机 1 台	第 3 章第 1 节	轮机实操室	1 ~ 8 号/B	1:8	
	15:50—16:50	2. 船舶机械设备操作与管理——操作与管理船舶柴油机	2.2.1 船舶主柴油机启动后的参数监测和调整(水温、水压、油温、油压) 2.2.2 船舶主柴油机修理后的参数监测和调整(机动运行及定速操作)	实训室设备培训	机舱管理/可运行柴油机 1 台	第 2 章第 3 节	轮机实操室	33 ~ 36 号/D	1:8	

表 6－10(续 11)

天数	时间	培训任务	培训内容	培训方式	教材/设备（教具）	教材章节	培训地点	学员/教员	师生比	备注
第11天	15:50—16:50	5. 船舶机电械设备检修——主推进动力装置检修	3.2.1 增压器 K 值的检查	实训室设备培训	主推进动力装置/可拆装柴油机 1 台、增压器 1 只	第 4 章第 3 节	轮机实操室	29～32号/A	1:4	
		2. 船舶机械设备操作与管理——船舶柴油机结构原理	3.2.1 废气涡轮增压器常见故障排除方法	实训室设备培训	船舶辅机与电气/可运行柴油机 1 台、废气涡轮增压器 1 台	第 5 章第 6 节	轮机实操室	37～40号/C	1:4	
		2. 船舶机械设备操作与管理——操作与管理船舶柴油机	1.2.1 配气系统常见故障的分析判断； 1.2.2 燃油系统的常见故障的分析判断； 1.2.3 柴油机润滑系统的常见故障分析判断； 1.2.4 柴油机冷却系统的常见故障分析判断	实训室设备培训	主推进动力装置/可运行柴油机 1 台	第 3 章第 1 节	轮机实操室	1～8号/B	1:8	
	17:00—18:00	2. 船舶机械设备操作与管理——操作与管理船舶柴油机	2.2.1 船舶主柴油机启动后的参数监测和调整（水温、水压、油温、油压） 2.2.2 船舶主柴油机修理后的参数监测和调整（机动运行及定速操作）	实训室设备培训	机舱管理/可运行柴油机 1 台	第 2 章第 3 节	轮机实操室	33～36号/D	1:4	

表6-10(续12)

天数	时间	培训任务	培训内容	培训方式	教材/设备（教具）	教材章节	培训地点	学员/教员	师生比	备注
第11天	17:00—18:00	5. 船舶机电械设备检修——主推进动力装置检修	3.2.1 增压器 K 值的检查	实训室设备培训	主推进动力装置/可拆装柴油机1台、增压器1只	第4章第3节	轮机实操室	29~32号/A	1:4	
		2. 船舶机械设备操作与管理——船舶柴油机结构原理	3.2.1 废气涡轮增压器常见故障排除方法	实训室设备培训	船舶辅机与电气/可运行柴油机1台、废气涡轮增压器1台	第5章第6节	轮机实操室	37~40号/C	1:4	
		2. 船舶机械设备操作与管理——操作与管理船舶柴油机	1.2.1 配气系统常见故障的分析判断; 1.2.2 燃油系统的常见故障的分析判断; 1.2.3 柴油机润滑系统的常见故障分析判断; 1.2.4 柴油机冷却系统的常见故障分析判断	实训室设备培训	主推进动力装置/可运行柴油机1台	第3章第1节	轮机实操室	1~8号/B	1:8	
第12天	07:40—08:40	5. 船舶机电械设备检修——主推进动力装置检修	3.2.1 增压器 K 值的检查	实训室设备培训	主推进动力装置/可拆装柴油机1台、增压器1只	第4章第3节	轮机实操室	1~4号/A	1:4	
		4. 保持安全的轮机值班——安全值班	1.2.1 根据机舱布置图安排机舱巡回检查路线	实训室设备培训	机舱管理/模拟机舱(或真实机舱)	第2章第2节	轮机实操室	25号/A	1:1	

表 6-10(续 13)

天数	时间	培训任务	培训内容	培训方式	教材/设备（教具）	教材章节	培训地点	学员/教员	师生比	备注
第12天	07:40—08:40	5. 船舶机电械设备检修——液压机械设备检修	1.2.1 液压阀件的拆装； 1.2.2 液压油泵的拆装	实训室设备培训	主推进动力装置/液压阀件 4 套(台)、液压油泵 4 台	第 4 章第 1 节	轮机实操室	17～20号/D	1:4	
		2. 船舶机械设备操作与管理——船舶柴油机结构原理	3.2.1 废气涡轮增压器常见故障排除方法	实训室设备培训	船舶辅机与电气/可运行柴油机 1 台、废气涡轮增压器 1 台	第 5 章第 6 节	轮机实操室	9～12号/C	1:4	
	08:50—09:50	5. 船舶机电械设备检修——主推进动力装置检修	3.2.1 增压器 K 值的检查	实训室设备培训	主推进动力装置/可拆装柴油机 1 台、增压器 1 只	第 4 章第 3 节	轮机实操室	1～4号/A	1:4	
		4. 保持安全的轮机值班——安全值班	1.2.1 根据机舱布置图安排机舱巡回检查路线	实训室设备培训	机舱管理/模拟机舱(或真实机舱)	第 2 章第 2 节	轮机实操室	24 号/A	1:1	
		5. 船舶机电械设备检修——液压机械设备检修	1.2.1 液压阀件的拆装； 1.2.2 液压油泵的拆装	实训室设备培训	主推进动力装置/液压阀件 4 套(台)、液压油泵 4 台	第 4 章第 1 节	轮机实操室	17～20号/D	1:4	

表 6－10(续 14)

天数	时间	培训任务	培训内容	培训方式	教材/设备（教具）	教材章节	培训地点	学员/教员	师生比	备注
第12天	08:50—09:50	2. 船舶机械设备操作与管理——船舶柴油机结构原理	3.2.1 废气涡轮增压器常见故障排除方法	实训室设备培训	船舶辅机与电气/可运行柴油机 1 台、废气涡轮增压器 1 台	第 5 章第 6 节	轮机实操室	9～12 号/C	1:4	
	10:00—11:00	5. 船舶机电械设备检修——主推进动力装置检修	3.2.1 增压器 K 值的检查	实训室设备培训	主推进动力装置/可拆装柴油机 1 台、增压器 1 只	第 4 章第 3 节	轮机实操室	5～8 号/A	1:4	
		4. 保持安全的轮机值班——安全值班	1.2.1 根据机舱布置图安排机舱巡回检查路线	实训室设备培训	机舱管理/模拟机舱（或真实机舱）	第 2 章第 2 节	轮机实操室	35 号/A	1:1	
		5. 船舶机电械设备检修——液压机械设备检修	1.2.1 液压阀件的拆装； 1.2.2 液压油泵的拆装	实训室设备培训	主推进动力装置/液压阀件 4 套台；液压油泵 4 台	第 4 章第 1 节	轮机实操室	21～24 号/D	1:4	
		2. 船舶机械设备操作与管理——船舶柴油机结构原理	3.2.1 废气涡轮增压器常见故障排除方法	实训室设备培训	船舶辅机与电气/可运行柴油机 1 台、废气涡轮增压器 1 台	第 5 章第 6 节	轮机实操室	13～16 号/C	1:4	

表 6 – 10(续 15)

天数	时间	培训任务	培训内容	培训方式	教材/设备（教具）	教材章节	培训地点	学员/教员	师生比	备注
第12天	11:10—12:10	5. 船舶机电械设备检修——主推进动力装置检修	3.2.1 增压器 K 值的检查	实训室设备培训	主推进动力装置/可拆装柴油机 1 台、增压器 1 只	第 4 章第 3 节	轮机实操室	5 ~ 8 号/A	1:4	
		4. 保持安全的轮机值班——安全值班	1.2.1 根据机舱布置图安排机舱巡回检查路线	实训室设备培训	机舱管理/模拟机舱(或真实机舱)	第 2 章第 2 节	轮机实操室	36 号/A	1:1	
		5. 船舶机电械设备检修——液压机械设备检修	1.2.1 液压阀件的拆装; 1.2.2 液压油泵的拆装	实训室设备培训	主推进动力装置/液压阀件 4 套(台)、液压油泵 4 台	第 4 章第 1 节	轮机实操室	21 ~ 24 号/D	1:4	
		2. 船舶机械设备操作与管理——船舶柴油机结构原理	3.2.1 废气涡轮增压器常见故障排除方法	实训室设备培训	船舶辅机与电气/可运行柴油机 1 台、废气涡轮增压器 1 台	第 5 章第 6 节	轮机实操室	13 ~ 16 号/C	1:4	
	13:30—14:30	2. 船舶机械设备操作与管理——操作与管理船舶柴油机	1.2.1 配气系统常见故障的分析判断; 1.2.2 燃油系统的常见故障的分析判断; 1.2.3 柴油机润滑系统的常见故障分析判断; 1.2.4 柴油机冷却系统的常见故障分析判断	实训室设备培训	主推进动力装置/可运行柴油机 1 台	第 3 章第 1 节	轮机实操室	9 ~ 16 号/B	1:8	

表 6－10(续 16)

天数	时间	培训任务	培训内容	培训方式	教材/设备（教具）	教材章节	培训地点	学员/教员	师生比	备注
第12天	13:30—14:30	4. 保持安全的轮机值班——安全值班	1.2.1 根据机舱布置图安排机舱巡回检查路线	实训室设备培训	机舱管理/模拟机舱(或真实机舱)	第 2 章第 2 节	轮机实操室	37 号/A	1:1	
		5. 船舶机电械设备检修——液压机械设备检修	1.2.1 液压阀件的拆装； 1.2.2 液压油泵的拆装	实训室设备培训	主推进动力装置/液压阀件 4 套(台)、液压油泵 4 台	第 4 章第 1 节	轮机实操室	25～28 号/D	1:4	
		2. 船舶机械设备操作与管理——船舶柴油机结构原理	3.2.1 废气涡轮增压器常见故障排除方法	实训室设备培训	船舶辅机与电气/可运行柴油机 1 台、废气涡轮增压器 1 台	第 5 章第 6 节	轮机实操室	1～4 号/C	1:4	
	14:40—15:40	2. 船舶机械设备操作与管理——操作与管理船舶柴油机	1.2.1 配气系统常见故障的分析判断； 1.2.2 燃油系统的常见故障的分析判断； 1.2.3 柴油机润滑系统的常见故障分析判断； 1.2.4 柴油机冷却系统的常见故障分析判断	实训室设备培训	主推进动力装置/可运行柴油机 1 台	第 3 章第 1 节	轮机实操室	9～16 号/B	1:8	
		4. 保持安全的轮机值班——安全值班	1.2.1 根据机舱布置图安排机舱巡回检查路线	实训室设备培训	机舱管理/模拟机舱(或真实机舱)	第 2 章第 2 节	轮机实操室	38 号/A	1:1	

表 6－10(续 17)

天数	时间	培训任务	培训内容	培训方式	教材/设备（教具）	教材章节	培训地点	学员/教员	师生比	备注
第12天	14:40—15:40	5. 船舶机电械设备检修——液压机械设备检修	1.2.1 液压阀件的拆装； 1.2.2 液压油泵的拆装	实训室设备培训	主推进动力装置/液压阀件 4 套(台)、液压油泵 4 台	第 4 章第 1 节	轮机实操室	25～28 号/D	1:4	
		2. 船舶机械设备操作与管理——船舶柴油机结构原理	3.2.1 废气涡轮增压器常见故障排除方法	实训室设备培训	船舶辅机与电气/可运行柴油机 1 台、废气涡轮增压器 1 台	第 5 章第 6 节	轮机实操室	1～4 号/C	1:4	
	15:50—16:50	2. 船舶机械设备操作与管理——操作与管理船舶柴油机	1.2.1 配气系统常见故障的分析判断； 1.2.2 燃油系统的常见故障的分析判断； 1.2.3 柴油机润滑系统的常见故障分析判断； 1.2.4 柴油机冷却系统的常见故障分析判断	实训室设备培训	主推进动力装置/可运行柴油机 1 台	第 3 章第 1 节	轮机实操室	9～16 号/B	1:8	
		4. 保持安全的轮机值班——安全值班	1.2.1 根据机舱布置图安排机舱巡回检查路线	实训室设备培训	机舱管理/模拟机舱(或真实机舱)	第 2 章第 2 节	轮机实操室	39 号/A	1:1	
		5. 船舶机电械设备检修——液压机械设备检修	1.2.1 液压阀件的拆装； 1.2.2 液压油泵的拆装	实训室设备培训	主推进动力装置/液压阀件 4 套(台)、液压油泵 4 台	第 4 章第 1 节	轮机实操室	29～32 号/D	1:4	

表 6－10(续 18)

天数	时间	培训任务	培训内容	培训方式	教材/设备(教具)	教材章节	培训地点	学员/教员	师生比	备注
第12天	15:50—16:50	2. 船舶机械设备操作与管理——船舶柴油机结构原理	3.2.1 废气涡轮增压器常见故障排除方法	实训室设备培训	船舶辅机与电气/可运行柴油机 1 台、废气涡轮增压器 1 台	第 5 章第 6 节	轮机实操室	5～8 号/C	1:4	
	17:00—18:00	2. 船舶机械设备操作与管理——操作与管理船舶柴油机	1.2.1 配气系统常见故障的分析判断； 1.2.2 燃油系统的常见故障的分析判断； 1.2.3 柴油机润滑系统的常见故障分析判断； 1.2.4 柴油机冷却系统的常见故障分析判断	实训室设备培训	主推进动力装置/可运行柴油机 1 台	第 3 章第 1 节	轮机实操室	9～16 号/B	1:8	
		4. 保持安全的轮机值班——安全值班	1.2.1 根据机舱布置图安排机舱巡回检查路线	实训室设备培训	机舱管理/模拟机舱(或真实机舱)	第 2 章第 2 节	轮机实操室	40 号/A	1:1	
		5. 船舶机电械设备检修——液压机械设备检修	1.2.1 液压阀件的拆装； 1.2.2 液压油泵的拆装	实训室设备培训	主推进动力装置/液压阀件 4 套(台)、液压油泵 4 台	第 4 章第 1 节	轮机实操室	29～32 号/D	1:4	
		2. 船舶机械设备操作与管理——船舶柴油机结构原理	3.2.1 废气涡轮增压器常见故障排除方法	实训室设备培训	船舶辅机与电气/可运行柴油机 1 台、废气涡轮增压器 1 台	第 5 章第 6 节	轮机实操室	5～8 号/C	1:4	

表 6－10(续 19)

天数	时间	培训任务	培训内容	培训方式	教材/设备（教具）	教材章节	培训地点	学员/教员	师生比	备注
第13天	07:40—08:40	2. 船舶机械设备操作与管理——操作与管理船舶柴油机	1.2.1 配气系统常见故障的分析判断； 1.2.2 燃油系统的常见故障的分析判断； 1.2.3 柴油机润滑系统的常见故障分析判断； 1.2.4 柴油机冷却系统的常见故障分析判断	实训室设备培训	主推进动力装置/可运行柴油机1台	第3章第1节	轮机实操室	17～24号/B	1:8	
		5. 船舶机电械设备检修——液压机械设备检修	1.2.1 液压阀件的拆装； 1.2.2 液压油泵的拆装	实训室设备培训	主推进动力装置/液压阀件4套(台)、液压油泵4台	第4章第1节	轮机实操室	1～4号/A	1:4	
		4. 保持安全的轮机值班——安全值班	1.2.1 根据机舱布置图安排机舱巡回检查路线	实训室设备培训	机舱管理/模拟机舱(或真实机舱)	第2章第2节	轮机实操室	15号/D	1:1	
		2. 船舶机械设备操作与管理——船舶柴油机结构原理	3.2.1 废气涡轮增压器常见故障排除方法	实训室设备培训	船舶辅机与电气/可运行柴油机1台、废气涡轮增压器1台	第5章第6节	轮机实操室	25～28号/C	1:4	
	08:50—09:50	2. 船舶机械设备操作与管理——操作与管理船舶柴油机	1.2.1 配气系统常见故障的分析判断； 1.2.2 燃油系统的常见故障的分析判断； 1.2.3 柴油机润滑系统的常见故障分析判断； 1.2.4 柴油机冷却系统的常见故障分析判断	实训室设备培训	主推进动力装置/可运行柴油机1台	第3章第1节	轮机实操室	17～24号/B	1:8	

表 6－10(续 20)

天数	时间	培训任务	培训内容	培训方式	教材/设备（教具）	教材章节	培训地点	学员/教员	师生比	备注
第13天	08:50—09:50	5. 船舶机电械设备检修——液压机械设备检修	1.2.1 液压阀件的拆装； 1.2.2 液压油泵的拆装	实训室设备培训	主推进动力装置/液压阀件4套(台)、液压油泵4台	第4章第1节	轮机实操室	1～4号/A	1:4	
		4. 保持安全的轮机值班——安全值班	1.2.1 根据机舱布置图安排机舱巡回检查路线	实训室设备培训	机舱管理/模拟机舱(或真实机舱)	第2章第2节	轮机实操室	16号/D	1:1	
		2. 船舶机械设备操作与管理——船舶柴油机结构原理	3.2.1 废气涡轮增压器常见故障排除方法	实训室设备培训	船舶辅机与电气/可运行柴油机1台、废气涡轮增压器1台	第5章第6节	轮机实操室	25～28号/C	1:4	
	10:00—11:00	2. 船舶机械设备操作与管理——操作与管理船舶柴油机	1.2.1 配气系统常见故障的分析判断； 1.2.2 燃油系统的常见故障的分析判断； 1.2.3 柴油机润滑系统的常见故障分析判断； 1.2.4 柴油机冷却系统的常见故障分析判断	实训室设备培训	主推进动力装置/可运行柴油机1台	第3章第1节	轮机实操室	17～24号/B	1:8	
		5. 船舶机电械设备检修——液压机械设备检修	1.2.1 液压阀件的拆装； 1.2.2 液压油泵的拆装	实训室设备培训	主推进动力装置/液压阀件4套(台)、液压油泵4台	第4章第1节	轮机实操室	5～8号/A	1:4	

表 6－10(续 21)

天数	时间	培训任务	培训内容	培训方式	教材/设备（教具）	教材章节	培训地点	学员/教员	师生比	备注
第13天	10:00—11:00	4. 保持安全的轮机值班——安全值班	1.2.1 根据机舱布置图安排机舱巡回检查路线	实训室设备培训	机舱管理/模拟机舱（或真实机舱）	第 2 章第 2 节	轮机实操室	11 号/D	1:1	
		2. 船舶机械设备操作与管理——船舶柴油机结构原理	3.2.1 废气涡轮增压器常见故障排除方法	实训室设备培训	船舶辅机与电气/可运行柴油机 1 台、废气涡轮增压器 1 台	第 5 章第 6 节	轮机实操室	21～24 号/C	1:4	
	11:10—12:10	2. 船舶机械设备操作与管理——操作与管理船舶柴油机	1.2.1 配气系统常见故障的分析判断； 1.2.2 燃油系统的常见故障的分析判断； 1.2.3 柴油机润滑系统的常见故障分析判断； 1.2.4 柴油机冷却系统的常见故障分析判断	实训室设备培训	主推进动力装置/可运行柴油机 1 台	第 3 章第 1 节	轮机实操室	17～24 号/B	1:8	
		5. 船舶机电械设备检修——液压机械设备检修	1.2.1 液压阀件的拆装； 1.2.2 液压油泵的拆装	实训室设备培训	主推进动力装置/液压阀件 4 套（台）、液压油泵 4 台	第 4 章第 1 节	轮机实操室	5～8 号/A	1:4	
		4. 保持安全的轮机值班——安全值班	1.2.1 根据机舱布置图安排机舱巡回检查路线	实训室设备培训	机舱管理/模拟机舱（或真实机舱）	第 2 章第 2 节	轮机实操室	12 号/D	1:1	

表 6－10(续 22)

天数	时间	培训任务	培训内容	培训方式	教材/设备（教具）	教材章节	培训地点	学员/教员	师生比	备注
第 13 天	11:10—12:10	2. 船舶机械设备操作与管理——船舶柴油机结构原理	3.2.1 废气涡轮增压器常见故障排除方法	实训室设备培训	船舶辅机与电气/可运行柴油机 1 台、废气涡轮增压器 1 台	第 5 章第 6 节	轮机实操室	21～24 号/C	1:4	
	13:30—14:30	2. 船舶机械设备操作与管理——操作与管理船舶柴油机	1.2.1 配气系统常见故障的分析判断； 1.2.2 燃油系统的常见故障的分析判断； 1.2.3 柴油机润滑系统的常见故障分析判断； 1.2.4 柴油机冷却系统的常见故障分析判断	实训室设备培训	主推进动力装置/可运行柴油机 1 台	第 3 章第 1 节	轮机实操室	25～32 号/B	1:8	
		5. 船舶机电械设备检修——液压机械设备检修	1.2.1 液压阀件的拆装； 1.2.2 液压油泵的拆装	实训室设备培训	主推进动力装置/液压阀件 4 套(台)、液压油泵 4 台	第 4 章第 1 节	轮机实操室	9～12 号/A	1:4	
		4. 保持安全的轮机值班——安全值班	1.2.1 根据机舱布置图安排机舱巡回检查路线	实训室设备培训	机舱管理/模拟机舱(或真实机舱)	第 2 章第 2 节	轮机实操室	13 号/D	1:1	
		2. 船舶机械设备操作与管理——船舶柴油机结构原理	3.2.1 废气涡轮增压器常见故障排除方法	实训室设备培训	船舶辅机与电气/可运行柴油机 1 台、废气涡轮增压器 1 台	第 5 章第 6 节	轮机实操室	17～20 号/C	1:4	

表 6－10(续 23)

天数	时间	培训任务	培训内容	培训方式	教材/设备（教具）	教材章节	培训地点	学员/教员	师生比	备注
第13天	14:40—15:40	2. 船舶机械设备操作与管理——操作与管理船舶柴油机	1.2.1 配气系统常见故障的分析判断； 1.2.2 燃油系统的常见故障的分析判断； 1.2.3 柴油机润滑系统的常见故障分析判断； 1.2.4 柴油机冷却系统的常见故障分析判断	实训室设备培训	主推进动力装置/可运行柴油机 1 台	第 3 章第 1 节	轮机实操室	25～32 号/B	1:8	
		5. 船舶机电械设备检修——液压机械设备检修	1.2.1 液压阀件的拆装； 1.2.2 液压油泵的拆装	实训室设备培训	主推进动力装置/液压阀件 4 套(台)、液压油泵 4 台	第 4 章第 1 节	轮机实操室	9～12 号/A	1:4	
		4. 保持安全的轮机值班——安全值班	1.2.1 根据机舱布置图安排机舱巡回检查路线	实训室设备培训	机舱管理/模拟机舱(或真实机舱)	第 2 章第 2 节	轮机实操室	14 号/D	1:1	
		2. 船舶机械设备操作与管理——船舶柴油机结构原理	3.2.1 废气涡轮增压器常见故障排除方法	实训室设备培训	船舶辅机与电气/可运行柴油机 1 台、废气涡轮增压器 1 台	第 5 章第 6 节	轮机实操室	17～20 号/C	1:4	

表6-10(续24)

天数	时间	培训任务	培训内容	培训方式	教材/设备（教具）	教材章节	培训地点	学员/教员	师生比	备注
第13天	15:50—16:50	2. 船舶机械设备操作与管理——操作与管理船舶柴油机	1.2.1 配气系的统常见故障的分析判断； 1.2.2 燃油系统的常见故障的分析判断； 1.2.3 柴油机润滑系统的常见故障分析判断； 1.2.4 柴油机冷却系统的常见故障分析判断	实训室设备培训	主推进动力装置/可运行柴油机1台	第3章第1节	轮机实操室	25~32号/B	1:8	
		5. 船舶机电械设备检修——液压机械设备检修	1.2.1 液压阀件的拆装； 1.2.2 液压油泵的拆装	实训室设备培训	主推进动力装置/液压阀件4套(台)、液压油泵4台	第4章第1节	轮机实操室	13~16号/A	1:4	
		4. 保持安全的轮机值班——安全值班	1.2.1 根据机舱布置图安排机舱巡回检查路线	实训室设备培训	机舱管理/模拟机舱(或真实机舱)	第2章第2节	轮机实操室	9号/D	1:1	
		2. 船舶机械设备操作与管理——船舶柴油机结构原理	3.2.1 废气涡轮增压器常见故障排除方法	实训室设备培训	船舶辅机与电气/可运行柴油机1台、废气涡轮增压器1台	第5章第6节	轮机实操室	29~32号/C	1:4	

表 6－10(续25)

天数	时间	培训任务	培训内容	培训方式	教材/设备（教具）	教材章节	培训地点	学员/教员	师生比	备注
第13天	17:00—18:00	2. 船舶机械设备操作与管理——操作与管理船舶柴油机	1.2.1 配气系统常见故障的分析判断; 1.2.2 燃油系统的常见故障的分析判断; 1.2.3 柴油机润滑系统的常见故障分析判断; 1.2.4 柴油机冷却系统的常见故障分析判断	实训室设备培训	主推进动力装置/可运行柴油机1台	第3章第1节	轮机实操室	25～32号/B	1:8	
		5. 船舶机电械设备检修——液压机械设备检修	1.2.1 液压阀件的拆装; 1.2.2 液压油泵的拆装	实训室设备培训	主推进动力装置/液压阀件4套(台)、液压油泵4台	第4章第1节	轮机实操室	13～16号/A	1:4	
		4. 保持安全的轮机值班——安全值班	1.2.1 根据机舱布置图安排机舱巡回检查路线	实训室设备培训	机舱管理/模拟机舱(或真实机舱)	第2章第2节	轮机实操室	10号/D	1:1	
		2. 船舶机械设备操作与管理——船舶柴油机结构原理	3.2.1 废气涡轮增压器常见故障排除方法	实训室设备培训	船舶辅机与电气/可运行柴油机1台、废气涡轮增压器1台	第5章第6节	轮机实操室	29～32号/C	1:4	

表 6－10（续 26）

天数	时间	培训任务	培训内容	培训方式	教材/设备（教具）	教材章节	培训地点	学员/教员	师生比	备注
第 14 天	07:40—08:40	2. 船舶机械设备操作与管理——操作与管理船舶柴油机	1.2.1 配气系统常见故障的分析判断； 1.2.2 燃油系统的常见故障的分析判断； 1.2.3 柴油机润滑系统的常见故障分析判断； 1.2.4 柴油机冷却系统的常见故障分析判断	实训室设备培训	主推进动力装置/可运行柴油机 1 台	第 3 章第 1 节	轮机实操室	33～40 号/B	1:8	
		4. 保持安全的轮机值班——安全值班	1.2.1 根据机舱布置图安排机舱巡回检查路线	实训室设备培训	机舱管理/模拟机舱（或真实机舱）	第 2 章第 2 节	轮机实操室	17 号/D	1:1	
		5. 船舶机电械设备检修——主推进动力装置检修	1.2.1 气缸盖拆装与检查	实训室设备培训	主推进动力装置/可拆装柴油机 1 台、柴油机气缸套 4 只	第 2 章第 2 节	轮机实操室	1～8 号/C	1:8	
		2. 船舶机械设备操作与管理——船舶柴油机结构原理	2.1.1 柴油机曲轴臂距差测量、分析与判断	实训室设备培训	主推进动力装置/可拆装柴油机 1 台、柴油机曲轴臂	第 2 章第 3 节	轮机实操室	9～16 号/A	1:8	

表 6－10(续 27)

天数	时间	培训任务	培训内容	培训方式	教材/设备（教具）	教材章节	培训地点	学员/教员	师生比	备注
第14天	08:50—09:50	2. 船舶机械设备操作与管理——操作与管理船舶柴油机	1.2.1 配气系统常见故障的分析判断； 1.2.2 燃油系统的常见故障的分析判断； 1.2.3 柴油机润滑系统的常见故障分析判断； 1.2.4 柴油机冷却系统的常见故障分析判断	实训室设备培训	主推进动力装置/可运行柴油机 1 台	第 3 章第 1 节	轮机实操室	33～40 号/B	1:8	
		4. 保持安全的轮机值班——安全值班	1.2.1 根据机舱布置图安排机舱巡回检查路线	实训室设备培训	机舱管理/模拟机舱（或真实机舱）	第 2 章第 2 节	轮机实操室	18 号/D	1:1	
		5. 船舶机电械设备检修——主推进动力装置检修	1.2.1 气缸盖拆装与检查	实训室设备培训	主推进动力装置/可拆装柴油机 1 台、柴油机气缸套 4 只	第 2 章第 2 节	轮机实操室	1～8 号/C	1:8	
		2. 船舶机械设备操作与管理——船舶柴油机结构原理	2.1.1 柴油机曲轴臂距差测量、分析与判断	实训室设备培训	主推进动力装置/可拆装柴油机 1 台、柴油机曲轴臂	第 2 章第 3 节	轮机实操室	9～16 号/A	1:8	

表 6-10(续 28)

天数	时间	培训任务	培训内容	培训方式	教材/设备(教具)	教材章节	培训地点	学员/教员	师生比	备注
第14天	10:00—11:00	2. 船舶机械设备操作与管理——操作与管理船舶柴油机	1.2.1 配气系统常见故障的分析判断; 1.2.2 燃油系统的常见故障的分析判断; 1.2.3 柴油机润滑系统的常见故障分析判断; 1.2.4 柴油机冷却系统的常见故障分析判断	实训室设备培训	主推进动力装置/可运行柴油机1台	第3章第1节	轮机实操室	33~40号/B	1:8	
		4. 保持安全的轮机值班——安全值班	1.2.1 根据机舱布置图安排机舱巡回检查路线	实训室设备培训	机舱管理/模拟机舱(或真实机舱)	第2章第2节	轮机实操室	19号/D	1:1	
		5. 船舶机电械设备检修——主推进动力装置检修	1.2.1 气缸盖拆装与检查	实训室设备培训	主推进动力装置/可拆装柴油机1台、柴油机气缸套4只	第2章第2节	轮机实操室	17~24号/C	1:8	
		2. 船舶机械设备操作与管理——船舶柴油机结构原理	2.1.1 柴油机曲轴臂距差测量、分析与判断	实训室设备培训	主推进动力装置/可拆装柴油机1台、柴油机曲轴臂	第2章第3节	轮机实操室	1~8号/A	1:8	

表 6－10（续 29）

天数	时间	培训任务	培训内容	培训方式	教材/设备（教具）	教材章节	培训地点	学员/教员	师生比	备注
第14天	11:10—12:10	2. 船舶机械设备操作与管理——操作与管理船舶柴油机	1.2.1 配气系统常见故障的分析判断； 1.2.2 燃油系统的常见故障的分析判断； 1.2.3 柴油机润滑系统的常见故障分析判断； 1.2.4 柴油机冷却系统的常见故障分析判断	实训室设备培训	主推进动力装置/可运行柴油机 1 台	第 3 章第 1 节	轮机实操室	33～40号/B	1:8	
		4. 保持安全的轮机值班——安全值班	1.2.1 根据机舱布置图安排机舱巡回检查路线	实训室设备培训	机舱管理/模拟机舱（或真实机舱）	第 2 章第 2 节	轮机实操室	20 号/D	1:1	
		5. 船舶机电械设备检修——主推进动力装置检修	1.2.1 气缸盖拆装与检查	实训室设备培训	主推进动力装置/可拆装柴油机 1 台、柴油机气缸套 4 只	第 2 章第 2 节	轮机实操室	17～24号/C	1:8	
		2. 船舶机械设备操作与管理——船舶柴油机结构原理	2.1.1 柴油机曲轴臂距差测量、分析与判断	实训室设备培训	主推进动力装置/可拆装柴油机 1 台、柴油机曲轴臂	第 2 章第 3 节	轮机实操室	1～8号/A	1:8	

表 6-10(续 30)

天数	时间	培训任务	培训内容	培训方式	教材/设备（教具）	教材章节	培训地点	学员/教员	师生比	备注
第14天	13:30—14:30	5. 船舶机电械设备检修——液压机械设备检修	1.2.1 液压阀件的拆装； 1.2.2 液压油泵的拆装	实训室设备培训	主推进动力装置/液压阀件4套(台)、液压油泵4台	第4章第1节	轮机实操室	33~36号/B	1:4	
		4. 保持安全的轮机值班——安全值班	1.2.1 根据机舱布置图安排机舱巡回检查路线	实训室设备培训	机舱管理/模拟机舱(或真实机舱)	第2章第2节	轮机实操室	21号/D	1:1	
		5. 船舶机电械设备检修——主推进动力装置检修	1.2.1 气缸盖拆装与检查	实训室设备培训	主推进动力装置/可拆装柴油机1台、柴油机气缸套4只	第2章第2节	轮机实操室	9~16号/C	1:8	
		2. 船舶机械设备操作与管理——船舶柴油机结构原理	2.1.1 柴油机曲轴臂距差测量、分析与判断	实训室设备培训	主推进动力装置/可拆装柴油机1台、柴油机曲轴臂	第2章第3节	轮机实操室	25~32号/A	1:8	

表 6-10(续 31)

天数	时间	培训任务	培训内容	培训方式	教材/设备（教具）	教材章节	培训地点	学员/教员	师生比	备注
第14天	14:40—15:40	5. 船舶机电械设备检修——液压机械设备检修	1.2.1 液压阀件的拆装； 1.2.2 液压油泵的拆装	实训室设备培训	主推进动力装置/液压阀件 4 套(台)、液压油泵 4 台	第 4 章第 1 节	轮机实操室	33～36号/B	1:4	
		4. 保持安全的轮机值班——安全值班	1.2.1 根据机舱布置图安排机舱巡回检查路线	实训室设备培训	机舱管理/模拟机舱(或真实机舱)	第 2 章第 2 节	轮机实操室	22 号/D	1:1	
		5. 船舶机电械设备检修——主推进动力装置检修	1.2.1 气缸盖拆装与检查	实训室设备培训	主推进动力装置/可拆装柴油机 1 台、柴油机气缸套 4 只	第 2 章第 2 节	轮机实操室	9～16号/C	1:8	
		2. 船舶机械设备操作与管理——船舶柴油机结构原理	2.1.1 柴油机曲轴臂距差测量、分析与判断	实训室设备培训	主推进动力装置/可拆装柴油机 1 台、柴油机曲轴臂	第 2 章第 3 节	轮机实操室	25～32号/A	1:8	

表 6－10(续 32)

天数	时间	培训任务	培训内容	培训方式	教材/设备（教具）	教材章节	培训地点	学员/教员	师生比	备注
第14天	15:50—16:50	5. 船舶机电械设备检修——液压机械设备检修	1.2.1 液压阀件的拆装； 1.2.2 液压油泵的拆装	实训室设备培训	主推进动力装置/液压阀件4套(台)、液压油泵4台	第4章第1节	轮机实操室	37～40号/B	1:4	
		4. 保持安全的轮机值班——安全值班	1.2.1 根据机舱布置图安排机舱巡回检查路线	实训室设备培训	机舱管理/模拟机舱(或真实机舱)	第2章第2节	轮机实操室	33号/D	1:1	
		5. 船舶机电械设备检修——主推进动力装置检修	1.2.1 气缸盖拆装与检查	实训室设备培训	主推进动力装置/可拆装柴油机1台、柴油机气缸套4只	第2章第2节	轮机实操室	15－32号/C	1:8	
		2. 船舶机械设备操作与管理——船舶柴油机结构原理	2.1.1 柴油机曲轴臂距差测量、分析与判断	实训室设备培训	主推进动力装置/可拆装柴油机1台、柴油机曲轴臂	第2章第3节	轮机实操室	17～24号/A	1:8	

表 6－10(续 33)

天数	时间	培训任务	培训内容	培训方式	教材/设备（教具）	教材章节	培训地点	学员/教员	师生比	备注
第14天	17:00—18:00	5. 船舶机电械设备检修——液压机械设备检修	1.2.1 液压阀件的拆装； 1.2.2 液压油泵的拆装	实训室设备培训	主推进动力装置/液压阀件 4 套(台)、液压油泵 4 台	第 4 章第 1 节	轮机实操室	37～40 号/B	1:4	
		4. 保持安全的轮机值班——安全值班	1.2.1 根据机舱布置图安排机舱巡回检查路线	实训室设备培训	机舱管理/模拟机舱(或真实机舱)	第 2 章第 2 节	轮机实操室	34 号/D	1:1	
		5. 船舶机电械设备检修——主推进动力装置检修	1.2.1 气缸盖拆装与检查	实训室设备培训	主推进动力装置/可拆装柴油机 1 台、柴油机气缸套 4 只	第 2 章第 2 节	轮机实操室	15－32 号/C	1:8	
		2. 船舶机械设备操作与管理——船舶柴油机结构原理	2.1.1 柴油机曲轴臂距差测量、分析与判断	实训室设备培训	主推进动力装置/可拆装柴油机 1 台、柴油机曲轴臂	第 2 章第 3 节	轮机实操室	17～24 号/A	1:8	

表 6－10（续 34）

天数	时间	培训任务	培训内容	培训方式	教材/设备（教具）	教材章节	培训地点	学员/教员	师生比	备注
第15天	07:40—08:40	5. 船舶机电械设备检修——主推进动力装置检修	1.2.1 气缸盖拆装与检查	实训室设备培训	主推进动力装置/可拆装柴油机1台、柴油机气缸套4只	第2章第2节	轮机实操室	33～40号/C	1:8	
		4. 保持安全的轮机值班——安全值班	1.2.1 根据机舱布置图安排机舱巡回检查路线	实训室设备培训	机舱管理/模拟机舱（或真实机舱）	第2章第2节	轮机实操室	23号/D	1:1	
		2. 船舶机械设备操作与管理——操作与管理船舶柴油机	2.2.1 船舶主柴油机启动后的参数监测和调整（水温、水压、油温、油压） 2.2.2 船舶主柴油机修理后的参数监测和调整（机动运行及定速操作）	实训室设备培训	机舱管理/可运行柴油机1台	第2章第3节	轮机实操室	25～32号/A	1:8	
		4. 保持安全的轮机值班——应急情况处理	1.2.1 柴油机运行中滑油温度、压力异常现象分析和应急处理步骤 1.2.2 柴油机运行中冷却水温过高原因分析和应急处理步骤 1.2.3 柴油机运行中敲缸原因判断和应急处理步骤 1.2.4 柴油机紧急停车操作步骤	实训室设备培训	机舱管理/可运行柴油机1台	第2章第3节	轮机实操室	17～24号/B	1:8	

表 6－10(续 35)

天数	时间	培训任务	培训内容	培训方式	教材/设备（教具）	教材章节	培训地点	学员/教员	师生比	备注
第15天	08:50—09:50	5. 船舶机电械设备检修——主推进动力装置检修	1.2.1 气缸盖拆装与检查	实训室设备培训	主推进动力装置/可拆装柴油机 1 台、柴油机气缸套 4 只	第 2 章第 2 节	轮机实操室	33～40 号/C	1:8	
		4. 保持安全的轮机值班——安全值班	1.2.1 根据机舱布置图安排机舱巡回检查路线	实训室设备培训	机舱管理/模拟机舱（或真实机舱）	第 2 章第 2 节	轮机实操室	26 号/D	1:1	
		2. 船舶机械设备操作与管理——操作与管理船舶柴油机	2.2.1 船舶主柴油机启动后的参数监测和调整（水温、水压、油温、油压） 2.2.2 船舶主柴油机修理后的参数监测和调整（机动运行及定速操作）	实训室设备培训	机舱管理/可运行柴油机 1 台	第 2 章第 3 节	轮机实操室	1～8 号/A	1:8	
		4. 保持安全的轮机值班——应急情况处理	1.2.1 柴油机运行中滑油温度、压力异常现象分析和应急处理步骤 1.2.2 柴油机运行中冷却水温过高原因分析和应急处理步骤 1.2.3 柴油机运行中敲缸原因判断和应急处理步骤 1.2.4 柴油机紧急停车操作步骤	实训室设备培训	机舱管理/可运行柴油机 1 台	第 2 章第 3 节	轮机实操室	17～24 号/B	1:8	

表 6－10(续 36)

天数	时间	培训任务	培训内容	培训方式	教材/设备（教具）	教材章节	培训地点	学员/教员	师生比	备注
第15天	10:00—11:00	2. 船舶机械设备操作与管理——船舶柴油机结构原理	2.1.1 柴油机曲轴臂距差测量、分析与判断	实训室设备培训	主推进动力装置/可拆装柴油机 1 台、柴油机曲轴臂	第 2 章第 3 节	轮机实操室	33～40 号/C	1:8	
		4. 保持安全的轮机值班——安全值班	1.2.1 根据机舱布置图安排机舱巡回检查路线	实训室设备培训	机舱管理/模拟机舱（或真实机舱）	第 2 章第 2 节	轮机实操室	27 号/D	1:1	
		5. 船舶机电械设备检修——主推进动力装置检修	3.2.1 增压器 K 值的检查	实训室设备培训	主推进动力装置/可拆装柴油机 1 台、增压器 1 只	第 4 章第 3 节	轮机实操室	21～24 号/A	1:4	
		4. 保持安全的轮机值班——应急情况处理	1.2.1 柴油机运行中滑油温度、压力异常现象分析和应急处理步骤 1.2.2 柴油机运行中冷却水温过高原因分析和应急处理步骤 1.2.3 柴油机运行中敲缸原因判断和应急处理步骤 1.2.4 柴油机紧急停车操作步骤	实训室设备培训	机舱管理/可运行柴油机 1 台	第 2 章第 3 节	轮机实操室	1～4 号和 29～32 号/B	1:8	0.5 小时/组

表 6－10(续 37)

天数	时间	培训任务	培训内容	培训方式	教材/设备（教具）	教材章节	培训地点	学员/教员	师生比	备注
第15天	11:10—12:10	2. 船舶机械设备操作与管理——船舶柴油机结构原理	2.1.1 柴油机曲轴臂距差测量、分析与判断	实训室设备培训	主推进动力装置/可拆装柴油机 1 台、柴油机曲轴臂	第 2 章第 3 节	轮机实操室	33～40 号/C	1:8	
		5. 船舶机电械设备检修——主推进动力装置检修	3.2.1 增压器 K 值的检查	实训室设备培训	主推进动力装置/可拆装柴油机 1 台、增压器 1 只	第 4 章第 3 节	轮机实操室	21～24 号/A	1:4	
		4. 保持安全的轮机值班——安全值班	1.2.1 根据机舱布置图安排机舱巡回检查路线	实训室设备培训	机舱管理/模拟机舱（或真实机舱）	第 2 章第 2 节	轮机实操室	28 号/D	1:1	
		4. 保持安全的轮机值班——应急情况处理	1.2.1 柴油机运行中滑油温度、压力异常现象分析和应急处理步骤 1.2.2 柴油机运行中冷却水温过高原因分析和应急处理步骤 1.2.3 柴油机运行中敲缸原因判断和应急处理步骤 1.2.4 柴油机紧急停车操作步骤	实训室设备培训	机舱管理/可运行柴油机 1 台	第 2 章第 3 节	轮机实操室	1～4 号和 29～32 号/B	1:8	0.5 小时/组

表6-10(续38)

天数	时间	培训任务	培训内容	培训方式	教材/设备(教具)	教材章节	培训地点	学员/教员	师生比	备注
第15天	13:30—14:30	4. 保持安全的轮机值班——安全值班	1.2.1 根据机舱布置图安排机舱巡回检查路线	实训室设备培训	机舱管理/模拟机舱(或真实机舱)	第2章第2节	轮机实操室	29号/D	1:1	
		5. 船舶机电械设备检修——主推进动力装置检修	3.2.1 增压器 *K* 值的检查	实训室设备培训	主推进动力装置/可拆装柴油机1台、增压器1只	第4章第3节	轮机实操室	33~36号/A	1:4	
		4. 保持安全的轮机值班——应急情况处理	1.2.1 柴油机运行中滑油温度、压力异常现象分析和应急处理步骤 1.2.2 柴油机运行中冷却水温过高原因分析和应急处理步骤 1.2.3 柴油机运行中敲缸原因判断和应急处理步骤 1.2.4 柴油机紧急停车操作步骤	实训室设备培训	机舱管理/可运行柴油机1台	第2章第3节	轮机实操室	9~16号/B	1:8	
	14:40—15:40	4. 保持安全的轮机值班——安全值班	1.2.1 根据机舱布置图安排机舱巡回检查路线	实训室设备培训	机舱管理/模拟机舱(或真实机舱)	第2章第2节	轮机实操室	30号/D	1:1	

表 6-10(续 39)

天数	时间	培训任务	培训内容	培训方式	教材/设备（教具）	教材章节	培训地点	学员/教员	师生比	备注
第 15 天	14:40—15:40	5. 船舶机电械设备检修——主推进动力装置检修	3.2.1 增压器 *K* 值的检查	实训室设备培训	主推进动力装置/可拆装柴油机 1 台、增压器 1 只	第 4 章第 3 节	轮机实操室	33 ~ 36 号/A	1:4	
		4. 保持安全的轮机值班——应急情况处理	1.2.1 柴油机运行中滑油温度、压力异常现象分析和应急处理步骤 1.2.2 柴油机运行中冷却水温过高原因分析和应急处理步骤 1.2.3 柴油机运行中敲缸原因判断和应急处理步骤 1.2.4 柴油机紧急停车操作步骤	实训室设备培训	机舱管理/可运行柴油机 1 台	第 2 章第 3 节	轮机实操室	9 ~ 16 号/B	1:8	
	15:50—16:50	2. 船舶机械设备操作与管理——船舶轴系与推进器	1.2.1 船舶轴系校中	船上培训	主推进动力装置/实船 1 艘	第 5 章第 5 节	实船	25 ~ 32 号/D	1:8	
		4. 保持安全的轮机值班——安全值班	1.2.1 根据机舱布置图安排机舱巡回检查路线	实训室设备培训	机舱管理/模拟机舱(或真实机舱)	第 2 章第 2 节	轮机实操室	31 号/D	1:1	
		2. 船舶机械设备操作与管理——操作与管理船舶柴油机	2.2.1 船舶主柴油机启动后的参数监测和调整(水温、水压、油温、油压) 2.2.2 船舶主柴油机修理后的参数监测和调整(机动运行及定速操作)	实训室设备培训	机舱管理/可运行柴油机 1 台	第 2 章第 3 节	轮机实操室	37 ~ 40 号/C	1:4	

表 6－10(续 40)

天数	时间	培训任务	培训内容	培训方式	教材/设备（教具）	教材章节	培训地点	学员/教员	师生比	备注
第15天	15:50—16:50	4. 保持安全的轮机值班——应急情况处理	1.2.1 柴油机运行中滑油温度、压力异常现象分析和应急处理步骤 1.2.2 柴油机运行中冷却水温过高原因分析和应急处理步骤 1.2.3 柴油机运行中敲缸原因判断和应急处理步骤 1.2.4 柴油机紧急停车操作步骤	实训室设备培训	机舱管理/可运行柴油机1台	第2章第3节	轮机实操室	5～8号和25～28号/B	1:8	0.5小时/组
	17:00—18:00	2. 船舶机械设备操作与管理——船舶轴系与推进器	1.2.1 船舶轴系校中	船上培训	主推进动力装置/实船1艘	第5章第5节	实船	25～32号/D	1:8	
		4. 保持安全的轮机值班——安全值班	1.2.1 根据机舱布置图安排机舱巡回检查路线	实训室设备培训	机舱管理/模拟机舱(或真实机舱)	第2章第2节	轮机实操室	32号/D	1:1	
		4. 保持安全的轮机值班——应急情况处理	1.2.1 柴油机运行中滑油温度、压力异常现象分析和应急处理步骤 1.2.2 柴油机运行中冷却水温过高原因分析和应急处理步骤 1.2.3 柴油机运行中敲缸原因判断和应急处理步骤 1.2.4 柴油机紧急停车操作步骤	实训室设备培训	机舱管理/可运行柴油机1台	第2章第3节	轮机实操室	5～8号和25～28号/B	1:8	0.5小时/组

表 6-10(续 41)

天数	时间	培训任务	培训内容	培训方式	教材/设备(教具)	教材章节	培训地点	学员/教员	师生比	备注
第16天	07:40—08:40	4. 保持安全的轮机值班——应急情况处理	1.2.1 柴油机运行中滑油温度、压力异常现象分析和应急处理步骤 1.2.2 柴油机运行中冷却水温过高原因分析和应急处理步骤 1.2.3 柴油机运行中敲缸原因判断和应急处理步骤 1.2.4 柴油机紧急停车操作步骤	实训室设备培训	机舱管理/可运行柴油机 1 台	第 2 章第 3 节	轮机实操室	33～40 号/C	1:8	
		4. 保持安全的轮机值班——安全值班	1.2.1 根据机舱布置图安排机舱巡回检查路线	实训室设备培训	机舱管理/模拟机舱(或真实机舱)	第 2 章第 2 节	轮机实操室	1 号/D	1:1	
		5. 船舶机电械设备检修——主推进动力装置检修	3.2.1 增压器 K 值的检查	实训室设备培训	主推进动力装置/可拆装柴油机 1 台、增压器 1 只	第 4 章第 3 节	轮机实操室	9～12 号/A	1:4	
		5. 船舶机电械设备检修——主推进动力装置检修	2.2.1 柴油机止推轴承的检查; 2.2.2 柴油机推力轴承的检查	实训室设备培训	主推进动力装置/轮机实操室	第 5 章第 1 节和第 5 节	轮机实操室	5～8 号和 25～28 号/B	1:8	0.5 小时/组

表 6-10(续 42)

天数	时间	培训任务	培训内容	培训方式	教材/设备（教具）	教材章节	培训地点	学员/教员	师生比	备注
第16天	08:50—09:50	4. 保持安全的轮机值班——应急情况处理	1.2.1 柴油机运行中滑油温度、压力异常现象分析和应急处理步骤 1.2.2 柴油机运行中冷却水温过高原因分析和应急处理步骤 1.2.3 柴油机运行中敲缸原因判断和应急处理步骤 1.2.4 柴油机紧急停车操作步骤	实训室设备培训	机舱管理/可运行柴油机1台	第2章第3节	轮机实操室	33～40号/C	1:8	
		4. 保持安全的轮机值班——安全值班	1.2.1 根据机舱布置图安排机舱巡回检查路线	实训室设备培训	机舱管理/模拟机舱（或真实机舱）	第2章第2节	轮机实操室	2号/D	1:1	
		5. 船舶机电械设备检修——主推进动力装置检修	3.2.1 增压器 K 值的检查	实训室设备培训	主推进动力装置/可拆装柴油机1台、增压器1只	第4章第3节	轮机实操室	9～12号/A	1:4	
		5. 船舶机电械设备检修——主推进动力装置检修	2.2.1 柴油机止推轴承的检查； 2.2.2 柴油机推力轴承的检查	实训室设备培训	主推进动力装置/轮机实操室	第5章第1节和第5节	轮机实操室	5～8号和25～28号/B	1:8	0.5小时/组

表 6－10(续 43)

天数	时间	培训任务	培训内容	培训方式	教材/设备（教具）	教材章节	培训地点	学员/教员	师生比	备注
第16天	10:00—11:00	2.船舶机械设备操作与管理——船舶柴油机结构原理	1.2.1 压缩压力测量和爆压的测量实训	实训室设备培训	主推进动力装置/可运行柴油机1台	第4章第3节	轮机实操室	5～8号和25～28号/C	1:8	0.5小时/组
		2.船舶机械设备操作与管理——船舶柴油机结构原理	1.2.1 压缩压力测量和爆压的测量实训	实训室设备培训	主推进动力装置/可运行柴油机1台	第4章第3节	轮机实操室	33～40号/C	1:8	0.5小时/组
		4.保持安全的轮机值班——安全值班	1.2.1 根据机舱布置图安排机舱巡回检查路线	实训室设备培训	机舱管理/模拟机舱(或真实机舱)	第2章第2节	轮机实操室	3号/D	1:1	
		5.船舶机电械设备检修——主推进动力装置检修	3.2.1 增压器 K 值的检查	实训室设备培训	主推进动力装置/可拆装柴油机1台、增压器1只	第4章第3节	轮机实操室	13～16号/A	1:4	
		5.船舶机电械设备检修——主推进动力装置检修	2.2.1 柴油机止推轴承的检查； 2.2.2 柴油机推力轴承的检查	实训室设备培训	主推进动力装置/轮机实操室	第5章第1节和第5节	轮机实操室	17～24号/B	1:8	

表 6－10(续 44)

天数	时间	培训任务	培训内容	培训方式	教材/设备（教具）	教材章节	培训地点	学员/教员	师生比	备注
第16天	11:10—12:10	4. 保持安全的轮机值班——安全值班	1.2.1 根据机舱布置图安排机舱巡回检查路线	实训室设备培训	机舱管理/模拟机舱（或真实机舱）	第 2 章第 2 节	轮机实操室	4 号/D	1:1	
		5. 船舶机电械设备检修——主推进动力装置检修	3.2.1 增压器 K 值的检查	实训室设备培训	主推进动力装置/可拆装柴油机 1 台、增压器 1 只	第 4 章第 3 节	轮机实操室	13～16 号/A	1:4	
		5. 船舶机电械设备检修——主推进动力装置检修	2.2.1 柴油机止推轴承的检查； 2.2.2 柴油机推力轴承的检查	实训室设备培训	主推进动力装置/轮机实操室	第 5 章第 1 节和第 5 节	轮机实操室	17～24 号/B	1:8	
	13:30—14:30	2. 船舶机械设备操作与管理——船舶柴油机结构原理	1.2.1 压缩压力测量和爆压的测量实训	实训室设备培训	主推进动力装置/可运行柴油机 1 台	第 4 章第 3 节	轮机实操室	29～32 号 1～4 号/C	1:8	0.5 小时/组
		2. 船舶机械设备操作与管理——船舶柴油机结构原理	1.2.1 压缩压力测量和爆压的测量实训	实训室设备培训	主推进动力装置/可运行柴油机 1 台	第 4 章第 3 节	轮机实操室	21～24 号/C	1:4	

表 6－10(续 45)

天数	时间	培训任务	培训内容	培训方式	教材/设备(教具)	教材章节	培训地点	学员/教员	师生比	备注
第16天	13:30—14:30	4. 保持安全的轮机值班——安全值班	1.2.1 根据机舱布置图安排机舱巡回检查路线	实训室设备培训	机舱管理/模拟机舱(或真实机舱)	第 2 章第 2 节	轮机实操室	5 号/D	1:1	
		5. 船舶机电械设备检修——主推进动力装置检修	3.2.1 增压器 K 值的检查	实训室设备培训	主推进动力装置/可拆装柴油机 1 台、增压器 1 只	第 4 章第 3 节	轮机实操室	17～20 号/A	1:4	
		5. 船舶机电械设备检修——主推进动力装置检修	2.2.1 柴油机止推轴承的检查; 2.2.2 柴油机推力轴承的检查	实训室设备培训	主推进动力装置/轮机实操室	第 5 章第 1 节和第 5 节	轮机实操室	9～16 号/B	1:8	
	14:40—15:40	4. 保持安全的轮机值班——安全值班	1.2.1 根据机舱布置图安排机舱巡回检查路线	实训室设备培训	机舱管理/模拟机舱(或真实机舱)	第 2 章第 2 节	轮机实操室	6 号/D	1:1	
		5. 船舶机电械设备检修——主推进动力装置检修	3.2.1 增压器 K 值的检查	实训室设备培训	主推进动力装置/可拆装柴油机 1 台、增压器 1 只	第 4 章第 3 节	轮机实操室	17～20 号/A	1:4	

表 6-10(续46)

天数	时间	培训任务	培训内容	培训方式	教材/设备（教具）	教材章节	培训地点	学员/教员	师生比	备注
第16天	14:40—15:40	5. 船舶机电械设备检修——主推进动力装置检修	2.2.1 柴油机止推轴承的检查； 2.2.2 柴油机推力轴承的检查	实训室设备培训	主推进动力装置/轮机实操室	第5章第1节和第5节	轮机实操室	9~16号/B	1:8	
	15:50—16:50	2. 船舶机械设备操作与管理——船舶柴油机结构原理	1.2.1 压缩压力测量和爆压的测量实训	实训室设备培训	主推进动力装置/可运行柴油机1台	第4章第3节	轮机实操室	9~16号/C	1:8	0.5小时/组
		2. 船舶机械设备操作与管理——船舶柴油机结构原理	1.2.1 压缩压力测量和爆压的测量实训	实训室设备培训	主推进动力装置/可运行柴油机1台	第4章第3节	轮机实操室	17~20号/C	1:4	0.5小时/组
		4. 保持安全的轮机值班——安全值班	1.2.1 根据机舱布置图安排机舱巡回检查路线	实训室设备培训	机舱管理/模拟机舱（或真实机舱）	第2章第2节	轮机实操室	7号/D	1:1	
		5. 船舶机电械设备检修——主推进动力装置检修	3.2.1 增压器 *K* 值的检查	实训室设备培训	主推进动力装置/可拆装柴油机1台、增压器1只	第4章第3节	轮机实操室	37~40号/A	1:4	

表 6－10(续 47)

天数	时间	培训任务	培训内容	培训方式	教材/设备（教具）	教材章节	培训地点	学员/教员	师生比	备注
第16天	15:50—16:50	5. 船舶机电械设备检修——主推进动力装置检修	2.2.1 柴油机止推轴承的检查； 2.2.2 柴油机推力轴承的检查	实训室设备培训	主推进动力装置/轮机实操室	第 5 章第 1 节和第 5 节	轮机实操室	29～32号和1～4号/B	1:8	0.5小时/组
	17:00—18:00	4. 保持安全的轮机值班——安全值班	1.2.1 根据机舱布置图安排机舱巡回检查路线	实训室设备培训	机舱管理/模拟机舱（或真实机舱）	第 2 章第 2 节	轮机实操室	8 号/D	1:1	
		5. 船舶机电械设备检修——主推进动力装置检修	3.2.1 增压器 *K* 值的检查	实训室设备培训	主推进动力装置/可拆装柴油机 1 台、增压器 1 只	第 4 章第 3 节	轮机实操室	37～40号/A	1:4	
		5. 船舶机电械设备检修——主推进动力装置检修	2.2.1 柴油机止推轴承的检查； 2.2.2 柴油机推力轴承的检查	实训室设备培训	主推进动力装置/轮机实操室	第 5 章第 1 节	轮机实操室	29～32号和1～4号/B	1:8	0.5小时/组
第17天	07:40—08:40	5. 船舶机电械设备检修——主推进动力装置检修	2.2.1 柴油机止推轴承的检查； 2.2.2 柴油机推力轴承的检查	船上培训	主推进动力装置/轮机实操室	第 5 章第 1 节和第 5 节	实船	33～40号/B	1:8	

表 6-10(续 48)

天数	时间	培训任务	培训内容	培训方式	教材/设备（教具）	教材章节	培训地点	学员/教员	师生比	备注
第17天	07:40—08:40	2. 船舶机械设备操作与管理——船舶轴系与推进器	1.2.1 船舶轴系校中	船上培训	主推进动力装置/实船 1 艘	第 5 章第 5 节	实船	1~8 号/D	1:8	
		4. 保持安全的轮机值班——应急情况处理	2.2.1 组织船舶搁浅、碰撞、污染和机舱进水、灭火、舵机失灵演习	船上培训	机舱管理/实船 1 艘	第 9 章第 4 节	实船	9~16 号/A	1:8	
		3. 船舶电气设备操作与管理——船舶自动控制系统	1.2.1 双位控制调节操作	船上培训	船舶辅机与电气/实船 1 艘	第 10 章第 1~2 节	实船	17~24 号和 25~32 号/C	1:8	0.5 小时/组
	08:50—09:50	5. 船舶机电械设备检修——主推进动力装置检修	2.2.1 柴油机止推轴承的检查； 2.2.2 柴油机推力轴承的检查	船上培训	主推进动力装置/轮机实操室	第 5 章第 1 节和第 5 节	实船	33~40 号/B	1:8	
		2. 船舶机械设备操作与管理——船舶轴系与推进器	1.2.1 船舶轴系校中	船上培训	主推进动力装置/实船 1 艘	第 5 章第 5 节	实船	1~8 号/D	1:8	

表 6－10(续 49)

天数	时间	培训任务	培训内容	培训方式	教材/设备（教具）	教材章节	培训地点	学员/教员	师生比	备注
第17天	08:50—09:50	4. 保持安全的轮机值班——应急情况处理	2.2.1 组织船舶搁浅、碰撞、污染和机舱进水、灭火、舵机失灵演习	船上培训	机舱管理/实船 1 艘	第 9 章第 4 节	实船	9～16 号/A	1:8	
		2. 船舶机械设备操作与管理——操作与管理甲板机械	1.2.1 舵机修理后的操作与调试	船上培训	船舶辅机与电气/实船 1 艘	第 4 章第 4 节	实船	17～24 号和 25～32 号/C	1:8	0.5 小时/组
	10:00—11:00	4. 保持安全的轮机值班——机舱管理	6.2.1 机舱情景模拟训练	船上培训	机舱管理/实船 1 艘	第 6 章第 1 节	实船	1～8 号/B	1:8	
		2. 船舶机械设备操作与管理——船舶轴系与推进器	1.2.1 船舶轴系校中	船上培训	主推进动力装置/实船 1 艘	第 5 章第 5 节	实船	33～40 号/D	1:8	
		4. 保持安全的轮机值班——应急情况处理	2.2.1 组织船舶搁浅、碰撞、污染和机舱进水、灭火、舵机失灵演习	船上培训	机舱管理/实船 1 艘	第 9 章第 4 节	实船	9～16 号/A	1:8	
	11:10—12:10	2. 船舶机械设备操作与管理——船舶轴系与推进器	1.2.1 船舶轴系校中	船上培训	主推进动力装置/实船 1 艘	第 5 章第 5 节	实船	33～40 号/D	1:8	

表 6－10(续 50)

天数	时间	培训任务	培训内容	培训方式	教材/设备（教具）	教材章节	培训地点	学员/教员	师生比	备注
第17天		4. 保持安全的轮机值班——应急情况处理	2.2.1 组织船舶搁浅、碰撞、污染和机舱进水、灭火、舵机失灵演习	船上培训	机舱管理/实船1艘	第9章第4节	实船	9～16号/A	1:8	
	11:10—12:10	3. 船舶电气设备操作与管理——船舶自动控制系统	1.2.1 双位控制调节操作	船上培训	船舶辅机与电气/实船1艘	第10章第1～2节	实船	1～8号/C	1:8	0.5小时/组
		2. 船舶机械设备操作与管理——操作与管理甲板机械	1.2.1 舵机修理后的操作与调试	船上培训	船舶辅机与电气/实船1艘	第4章第4节	实船	1～8号/C	1:8	0.5小时/组
	13:30—14:30	4. 保持安全的轮机值班——机舱管理	6.2.1 机舱情景模拟训练	船上培训	机舱管理/实船1艘	第6章第1节	实船	17～24号/B	1:8	
		2. 船舶机械设备操作与管理——船舶轴系与推进器	1.2.1 船舶轴系校中	船上培训	主推进动力装置/实船1艘	第5章第5节	实船	9～16号/D	1:8	
		4. 保持安全的轮机值班——应急情况处理	2.2.1 组织船舶搁浅、碰撞、污染和机舱进水、灭火、舵机失灵演习	船上培训	机舱管理/实船1艘	第9章第4节	实船	1～8号/A	1:8	

表 6－10(续 51)

天数	时间	培训任务	培训内容	培训方式	教材/设备（教具）	教材章节	培训地点	学员/教员	师生比	备注
第17天	13:30—14:30	3. 船舶电气设备操作与管理——操作与管理船舶电站	2.2.1 同步发电机的并车操作； 2.2.2 同步发电机有功功率的分配与调节； 2.2.3 同步发电机的卸载及停车操作； 2.2.4 发电机不能建立电压故障排除； 2.2.5 排除电网常见故障	船上培训	主推进动力装置/实船1艘	第5章第5节	实船	33～40号/C	1:8	
	14:40—15:40	4. 保持安全的轮机值班——机舱管理	6.2.1 机舱情景模拟训练	船上培训	机舱管理/实船1艘	第6章第1节	实船	25～32号/B	1:8	
		2. 船舶机械设备操作与管理——船舶轴系与推进器	1.2.1 船舶轴系校中	船上培训	主推进动力装置/实船1艘	第5章第5节	实船	9～16号/D	1:8	
		4. 保持安全的轮机值班——应急情况处理	2.2.1 组织船舶搁浅、碰撞、污染和机舱进水、灭火、舵机失灵演习	船上培训	机舱管理/实船1艘	第9章第4节	实船	1～8号/A	1:8	
		3. 船舶电气设备操作与管理——操作与管理船舶电站	2.2.1 同步发电机的并车操作； 2.2.2 同步发电机有功功率的分配与调节； 2.2.3 同步发电机的卸载及停车操作； 2.2.4 发电机不能建立电压故障排除； 2.2.5 排除电网常见故障	船上培训	船舶辅机与电气/实船1艘	第9章第2节	实船	33～40号/C	1:8	

表 6－10(续 52)

天数	时间	培训任务	培训内容	培训方式	教材/设备（教具）	教材章节	培训地点	学员/教员	师生比	备注
第17天	15:50—16:50	2. 船舶机械设备操作与管理——船舶轴系与推进器	1.2.1 船舶轴系校中	船上培训	主推进动力装置/实船1艘	第5章第5节	实船	17～24号/D	1:8	
		4. 保持安全的轮机值班——应急情况处理	2.2.1 组织船舶搁浅、碰撞、污染和机舱进水、灭火、舵机失灵演习	船上培训	机舱管理/实船1艘	第9章第4节	实船	1～8号/A	1:8	
		3. 船舶电气设备操作与管理——操作与管理船舶电站	2.2.1 同步发电机的并车操作； 2.2.2 同步发电机有功功率的分配与调节； 2.2.3 同步发电机的卸载及停车操作； 2.2.4 发电机不能建立电压故障排除； 2.2.5 排除电网常见故障	船上培训	船舶辅机与电气/实船1艘	第9章第2节	实船	33～40号/C	1:8	
	17:00—18:00	4. 保持安全的轮机值班——机舱管理	6.2.1 机舱情景模拟训练	船上培训	机舱管理/实船1艘	第6章第1节	实船	9～16号/B	1:8	
		2. 船舶机械设备操作与管理——船舶轴系与推进器	1.2.1 船舶轴系校中	船上培训	主推进动力装置/实船1艘	第5章第5节	实船	17～24号/D	1:8	
		4. 保持安全的轮机值班——应急情况处理	2.2.1 组织船舶搁浅、碰撞、污染和机舱进水、灭火、舵机失灵演习	船上培训	机舱管理/实船1艘	第9章第4节	实船	1～8号/A	1:8	

表 6－10(续 53)

天数	时间	培训任务	培训内容	培训方式	教材/设备(教具)	教材章节	培训地点	学员/教员	师生比	备注
第17天	17:00—18:00	3. 船舶电气设备操作与管理——操作与管理船舶电站	2.2.1 同步发电机的并车操作； 2.2.2 同步发电机有功功率的分配与调节； 2.2.3 同步发电机的卸载及停车操作； 2.2.4 发电机不能建立电压故障排除； 2.2.5 排除电网常见故障	船上培训	船舶辅机与电气/实船1艘	第 9 章第 2 节	实船	33～40号/C	1:8	
第18天	07:40—08:40	2. 船舶机械设备操作与管理——船舶轴系与推进器	2.2.1 螺旋桨的螺距测量； 2.2.2 螺旋桨的静平衡试验	船上培训	主推进动力装置/实船1艘	第 5 章第 2 节	实船	9～16号/B	1:8	
		4. 保持安全的轮机值班——应急情况处理	2.2.1 组织船舶搁浅、碰撞、污染和机舱进水、灭火、舵机失灵演习	船上培训	机舱管理/实船1艘	第 9 章第 4 节	实船	17～24号/A	1:8	
		3. 船舶电气设备操作与管理——操作与管理船舶电站	2.2.1 同步发电机的并车操作； 2.2.2 同步发电机有功功率的分配与调节； 2.2.3 同步发电机的卸载及停车操作； 2.2.4 发电机不能建立电压故障排除； 2.2.5 排除电网常见故障	船上培训	船舶辅机与电气/实船1艘	第 9 章第 2 节	实船	1～8号/C	1:8	
		3. 船舶电气设备操作与管理——操作与管理船舶用电设备	2.2.1 锚机控制常见故障的排除并能测量电磁制动器的间隙	船上培训	船舶辅机与电气/实船1艘	第 4 章第 5 节	实船	37～40号/D	1:4	

表 6－10(续 54)

天数	时间	培训任务	培训内容	培训方式	教材/设备（教具）	教材章节	培训地点	学员/教员	师生比	备注
第18天	08:50—09:50	2. 船舶机械设备操作与管理——船舶轴系与推进器	2.2.1 螺旋桨的螺距测量； 2.2.2 螺旋桨的静平衡试验	船上培训	主推进动力装置/实船1艘	第5章第2节	实船	25～32号/B	1:8	
		4. 保持安全的轮机值班——应急情况处理	2.2.1 组织船舶搁浅、碰撞、污染和机舱进水、灭火、舵机失灵演习	船上培训	机舱管理/实船1艘	第9章第4节	实船	17～24号/A	1:8	
		3. 船舶电气设备操作与管理——操作与管理船舶电站	2.2.1 同步发电机的并车操作； 2.2.2 同步发电机有功功率的分配与调节； 2.2.3 同步发电机的卸载及停车操作； 2.2.4 发电机不能建立电压故障排除； 2.2.5 排除电网常见故障	船上培训	船舶辅机与电气/实船1艘	第9章第2节	实船	1～8号/C	1:8	
		3. 船舶电气设备操作与管理——操作与管理船舶用电设备	2.2.1 锚机控制常见故障的排除并能测量电磁制动器的间隙	船上培训	船舶辅机与电气/实船1艘	第4章第5节	实船	9～12号/D	1:4	
	10:00—11:00	2. 船舶机械设备操作与管理——船舶轴系与推进器	2.2.1 螺旋桨的螺距测量； 2.2.2 螺旋桨的静平衡试验	船上培训	主推进动力装置/实船1艘	第5章第2节	实船	33～40号/B	1:8	
		4. 保持安全的轮机值班——应急情况处理	2.2.1 组织船舶搁浅、碰撞、污染和机舱进水、灭火、舵机失灵演习	船上培训	机舱管理/实船1艘	第9章第4节	实船	17～24号/A	1:8	

表 6 - 10(续 55)

天数	时间	培训任务	培训内容	培训方式	教材/设备（教具）	教材章节	培训地点	学员/教员	师生比	备注
第18天	10:00—11:00	3. 船舶电气设备操作与管理——操作与管理船舶电站	2.2.1 同步发电机的并车操作； 2.2.2 同步发电机有功功率的分配与调节； 2.2.3 同步发电机的卸载及停车操作； 2.2.4 发电机不能建立电压故障排除； 2.2.5 排除电网常见故障	船上培训	船舶辅机与电气/实船1艘	第 9 章第 2 节	实船	1 ~ 8号/C	1:8	
		3. 船舶电气设备操作与管理——操作与管理船舶用电设备	2.2.1 锚机控制常见故障的排除并能测量电磁制动器的间隙	船上培训	船舶辅机与电气/实船1艘	第 4 章第 5 节	实船	29 ~ 32号/D	1:4	
	11:10—12:10	3. 船舶电气设备操作与管理——操作与管理船舶电站	1.2.1 航行中主开关跳闸情况的应急处理及各种跳闸的故障排除	船上培训	机舱管理/实船1艘	第 6 章第 2 节	实船	33 ~ 36号和37 ~ 40号/B	1:4	0.5小时
		4. 保持安全的轮机值班——应急情况处理	2.2.1 组织船舶搁浅、碰撞、污染和机舱进水、灭火、舵机失灵演习	船上培训	机舱管理/实船1艘	第 9 章第 4 节	实船	17 ~ 24号/A	1:8	
		3. 船舶电气设备操作与管理——操作与管理船舶电站	2.2.1 同步发电机的并车操作； 2.2.2 同步发电机有功功率的分配与调节； 2.2.3 同步发电机的卸载及停车操作； 2.2.4 发电机不能建立电压故障排除； 2.2.5 排除电网常见故障	船上培训	船舶辅机与电气/实船1艘	第 9 章第 2 节	实船	1 ~ 8号/C	1:8	

表6-10(续56)

天数	时间	培训任务	培训内容	培训方式	教材/设备（教具）	教材章节	培训地点	学员/教员	师生比	备注
第18天	11:10—12:10	3. 船舶电气设备操作与管理——操作与管理船舶用电设备	2.2.1 锚机控制常见故障的排除并能测量电磁制动器的间隙	船上培训	船舶辅机与电气/实船1艘	第4章第5节	实船	25~28号/D	1:4	
	13:30—14:30	2. 船舶机械设备操作与管理——船舶轴系与推进器	2.2.1 螺旋桨的螺距测量； 2.2.2 螺旋桨的静平衡试验	船上培训	主推进动力装置/实船1艘	第5章第2节	实船	1~8号/B	1:8	
		4. 保持安全的轮机值班——应急情况处理	2.2.1 组织船舶搁浅、碰撞、污染和机舱进水、灭火、舵机失灵演习	船上培训	机舱管理/实船1艘	第9章第4节	实船	25~32号/A	1:8	
		3. 船舶电气设备操作与管理——操作与管理船舶电站	2.2.1 同步发电机的并车操作； 2.2.2 同步发电机有功功率的分配与调节； 2.2.3 同步发电机的卸载及停车操作； 2.2.4 发电机不能建立电压故障排除； 2.2.5 排除电网常见故障	船上培训	船舶辅机与电气/实船1艘	第9章第2节	实船	9~16号/C	1:8	
		3. 船舶电气设备操作与管理——操作与管理船舶用电设备	2.2.1 锚机控制常见故障的排除并能测量电磁制动器的间隙	船上培训	船舶辅机与电气/实船1艘	第5章第5节	实船	33~36/D	1:4	

表 6－10(续 57)

天数	时间	培训任务	培训内容	培训方式	教材/设备（教具）	教材章节	培训地点	学员/教员	师生比	备注
第18天	14:40—15:40	2. 船舶机械设备操作与管理——船舶轴系与推进器	2.2.1 螺旋桨的螺距测量； 2.2.2 螺旋桨的静平衡试验	船上培训	主推进动力装置/实船1艘	第5章第2节	实船	17～24/B	1:8	
		4. 保持安全的轮机值班——应急情况处理	2.2.1 组织船舶搁浅、碰撞、污染和机舱进水、灭火、舵机失灵演习	船上培训	机舱管理/实船1艘	第9章第4节	实船	25～32号/A	1:8	
		3. 船舶电气设备操作与管理——操作与管理船舶电站	2.2.1 同步发电机的并车操作； 2.2.2 同步发电机有功功率的分配与调节； 2.2.3 同步发电机的卸载及停车操作； 2.2.4 发电机不能建立电压故障排除； 2.2.5 排除电网常见故障	船上培训	船舶辅机与电气/实船1艘	第9章第2节	实船	9～16号/C	1:8	
		3. 船舶电气设备操作与管理——操作与管理船舶用电设备	2.2.1 锚机控制常见故障的排除并能测量电磁制动器的间隙	船上培训	船舶辅机与电气/实船1艘	第4章第5节	实船	1～4号/D	1:4	
	15:50—16:50	4. 保持安全的轮机值班——机舱管理	5.2.1 燃油加装及测量模拟训练	船上培训	船舶辅机与电气/实船1艘	第5章第1节	实船	33～40号/B	1:8	

表 6－10（续 58）

天数	时间	培训任务	培训内容	培训方式	教材/设备（教具）	教材章节	培训地点	学员/教员	师生比	备注
第 18 天	15:50—16:50	4. 保持安全的轮机值班——应急情况处理	2.2.1 组织船舶搁浅、碰撞、污染和机舱进水、灭火、舵机失灵演习	船上培训	机舱管理/实船 1 艘	第 9 章第 4 节	实船	25～32 号/A	1:8	
		3. 船舶电气设备操作与管理——操作与管理船舶电站	2.2.1 同步发电机的并车操作； 2.2.2 同步发电机有功功率的分配与调节； 2.2.3 同步发电机的卸载及停车操作； 2.2.4 发电机不能建立电压故障排除； 2.2.5 排除电网常见故障	船上培训	船舶辅机与电气/实船 1 艘	第 9 章第 2 节	实船	9～16 号/C	1:8	
		3. 船舶电气设备操作与管理——操作管理船舶用电设备	2.2.1 锚机控制常见故障的排除并能测量电磁制动器的间隙	船上培训	船舶辅机与电气/实船 1 艘	第 4 章第 5 节	实船	21～24 号/D	1:4	
	17:00—18:00	3. 船舶电气设备操作与管理——操作管理船舶用电设备	2.2.1 锚机控制常见故障的排除并能测量电磁制动器的间隙	船上培训	船舶辅机与电气/实船 1 艘	第 4 章第 5 节	实船	5～8 号/D	1:4	
第 19 天	07:40—08:40	4. 保持安全的轮机值班——应急情况处理	2.2.1 组织船舶搁浅、碰撞、污染和机舱进水、灭火、舵机失灵演习	船上培训	机舱管理/实船 1 艘	第 9 章第 4 节	实船	33～40 号/A	1:8	
		3. 船舶电气设备操作与管理——操作与管理船舶电站	1.2.1 航行中主开关跳闸情况的应急处理及各种跳闸的故障排除	船上培训	机舱管理/实船 1 艘	第 6 章第 2 节	实船	1～4 号/B	1:4	0.5 小时

表 6－10(续 59)

天数	时间	培训任务	培训内容	培训方式	教材/设备（教具）	教材章节	培训地点	学员/教员	师生比	备注
第19天	07:40—08:40	3. 船舶电气设备操作与管理——操作与管理船舶电站	1.2.1 航行中主开关跳闸情况的应急处理及各种跳闸的故障排除	船上培训	机舱管理/实船1艘	第6章第2节	实船	5～8号/B	1:4	0.5小时
		3. 船舶电气设备操作与管理——操作与管理船舶电站	2.2.1 同步发电机的并车操作； 2.2.2 同步发电机有功功率的分配与调节； 2.2.3 同步发电机的卸载及停车操作； 2.2.4 发电机不能建立电压故障排除； 2.2.5 排除电网常见故障	船上培训	船舶辅机与电气/实船1艘	第9章第2节	实船	17～24号/C	1:8	
	08:50—09:50	4. 保持安全的轮机值班——机舱管理	5.2.1 燃油加装及测量模拟训练	船上培训	船舶辅机与电气/实船1艘	第5章第1节	实船	1～8号/D	1:8	
		4. 保持安全的轮机值班——应急情况处理	2.2.1 组织船舶搁浅、碰撞、污染和机舱进水、灭火、舵机失灵演习	船上培训	机舱管理/实船1艘	第9章第4节	实船	33～40号/A	1:8	
		3. 船舶电气设备操作与管理——操作与管理船舶电站	1.2.1 航行中主开关跳闸情况的应急处理及各种跳闸的故障排除	船上培训	机舱管理/实船1艘	第6章第2节	实船	9～12号/B	1:4	0.5小时
		3. 船舶电气设备操作与管理——操作与管理船舶电站	1.2.1 航行中主开关跳闸情况的应急处理及各种跳闸的故障排除	船上培训	机舱管理/实船1艘	第6章第2节	实船	13～16号/B	1:4	0.5小时

表 6－10（续 60）

天数	时间	培训任务	培训内容	培训方式	教材/设备（教具）	教材章节	培训地点	学员/教员	师生比	备注
第19天	08:50—09:50	3. 船舶电气设备操作与管理——操作与管理船舶电站	2.2.1 同步发电机的并车操作； 2.2.2 同步发电机有功功率的分配与调节； 2.2.3 同步发电机的卸载及停车操作； 2.2.4 发电机不能建立电压故障排除； 2.2.5 排除电网常见故障	船上培训	船舶辅机与电气/实船1艘	第9章第2节	实船	17～24号/C	1:8	
	10:00—11:00	4. 保持安全的轮机值班——机舱管理	5.2.1 燃油加装及测量模拟训练	船上培训	船舶辅机与电气/实船1艘	第5章第1节	实船	9～16号/D	1:8	
		4. 保持安全的轮机值班——应急情况处理	2.2.1 组织船舶搁浅、碰撞、污染和机舱进水、灭火、舵机失灵演习	船上培训	机舱管理/实船1艘	第9章第4节	实船	33～40号/A	1:8	
		3. 船舶电气设备操作与管理——操作与管理船舶电站	1.2.1 航行中主开关跳闸情况的应急处理及各种跳闸的故障排除	船上培训	机舱管理/实船1艘	第6章第2节	实船	25～28号/B	1:4	0.5小时
		3. 船舶电气设备操作与管理——操作与管理船舶电站	1.2.1 航行中主开关跳闸情况的应急处理及各种跳闸的故障排除	船上培训	机舱管理/实船1艘	第6章第2节	实船	29～32号/B	1:4	0.5小时

表 6－10(续61)

天数	时间	培训任务	培训内容	培训方式	教材/设备（教具）	教材章节	培训地点	学员/教员	师生比	备注
第19天	10:00—11:00	3. 船舶电气设备操作与管理——操作与管理船舶电站	2.2.1 同步发电机的并车操作； 2.2.2 同步发电机有功功率的分配与调节； 2.2.3 同步发电机的卸载及停车操作； 2.2.4 发电机不能建立电压故障排除； 2.2.5 排除电网常见故障	船上培训	船舶辅机与电气/实船1艘	第9章第2节	实船	17～24号/C	1:8	
		4. 保持安全的轮机值班——机舱管理	5.2.1 燃油加装及测量模拟训练	船上培训	船舶辅机与电气/实船1艘	第5章第1节	实船	25～32号/D	1:8	
	11:10—12:10	4. 保持安全的轮机值班——应急情况处理	2.2.1 组织船舶搁浅、碰撞、污染和机舱进水、灭火、舵机失灵演习	船上培训	机舱管理/实船1艘	第9章第4节	实船	33～40号/A	1:8	
		3. 船舶电气设备操作与管理——操作与管理船舶电站	2.2.1 同步发电机的并车操作； 2.2.2 同步发电机有功功率的分配与调节； 2.2.3 同步发电机的卸载及停车操作； 2.2.4 发电机不能建立电压故障排除； 2.2.5 排除电网常见故障	船上培训	船舶辅机与电气/实船1艘	第9章第2节	实船	17～24号/C	1:8	
	13:30—14:30	4. 保持安全的轮机值班——机舱管理	6.2.1 机舱情景模拟训练	船上培训	机舱管理/实船1艘	第6章第1节	实船	33～40号/A	1:8	

表6－10(续62)

天数	时间	培训任务	培训内容	培训方式	教材/设备（教具）	教材章节	培训地点	学员/教员	师生比	备注
第19天	13:30—14:30	3. 船舶电气设备操作与管理——操作与管理船舶电站	1.2.1 航行中主开关跳闸情况的应急处理及各种跳闸的故障排除	船上培训	机舱管理/实船1艘	第6章第2节	实船	17～20号/B	1:4	
		3. 船舶电气设备操作与管理——操作与管理船舶电站	1.2.1 航行中主开关跳闸情况的应急处理及各种跳闸的故障排除	船上培训	机舱管理/实船1艘	第6章第2节	实船	21～24号/B	1:4	
		3. 船舶电气设备操作与管理——操作与管理船舶电站	2.2.1 同步发电机的并车操作； 2.2.2 同步发电机有功功率的分配与调节； 2.2.3 同步发电机的卸载及停车操作； 2.2.4 发电机不能建立电压故障排除； 2.2.5 排除电网常见故障	船上培训	船舶辅机与电气/实船1艘	第9章第2节	实船	25～32号/C	1:8	
	14:40—15:40	4. 保持安全的轮机值班——机舱管理	5.2.1 燃油加装及测量模拟训练	船上培训	船舶辅机与电气/实船1艘	第5章第1节	实船	17～24号/D	1:8	
		2. 船舶机械设备操作与管理——操作与管理甲板机械	1.2.1 舵机修理后的操作与调试	船上培训	船舶辅机与电气/实船1艘	第5章第4节	实船	9～16号/A	1:8	0.5小时

表 6－10（续 63）

天数	时间	培训任务	培训内容	培训方式	教材/设备（教具）	教材章节	培训地点	学员/教员	师生比	备注
第19天	14:40—15:40	3. 船舶电气设备操作与管理——操作与管理船舶电站	2.2.1 同步发电机的并车操作； 2.2.2 同步发电机有功功率的分配与调节； 2.2.3 同步发电机的卸载及停车操作； 2.2.4 发电机不能建立电压故障排除； 2.2.5 排除电网常见故障	船上培训	船舶辅机与电气/实船1艘	第9章第2节	实船	25～32号/C	1:8	
	15:50—16:50	3. 船舶电气设备操作与管理——操作管理船舶用电设备	2.2.1 锚机控制常见故障的排除并能测量电磁制动器的间隙	船上培训	船舶辅机与电气/实船1艘	第4章第5节	实船	13～16号/D	1:4	
		3. 船舶电气设备操作与管理——船舶自动控制系统	1.2.1 双位控制调节操作	船上培训	船舶辅机与电气/实船1艘	第10章第1～2节	实船	33～40号/A	1:8	0.5小时
		2. 船舶机械设备操作与管理——操作与管理甲板机械	1.2.1 舵机修理后的操作与调试	船上培训	船舶辅机与电气/实船1艘	第5章第4节	实船	33～40号/A	1:8	0.5小时
		3. 船舶电气设备操作与管理——操作与管理船舶电站	2.2.1 同步发电机的并车操作； 2.2.2 同步发电机有功功率的分配与调节； 2.2.3 同步发电机的卸载及停车操作； 2.2.4 发电机不能建立电压故障排除； 2.2.5 排除电网常见故障	船上培训	船舶辅机与电气/实船1艘	第9章第2节	实船	25～32号/C	1:8	

表 6－10(续 64)

天数	时间	培训任务	培训内容	培训方式	教材/设备(教具)	教材章节	培训地点	学员/教员	师生比	备注
第19天	17:00—18:00	3 船舶电气设备操作与管理——操作与管理船舶用电设备	2.2.1 锚机控制常见故障的排除并能测量电磁制动器的间隙	船上培训	船舶辅机与电气/实船1艘	第 4 章第 5 节	实船	17～20号/D	1:4	
		3 船舶电气设备操作与管理——操作与管理船舶电站	2.2.1 同步发电机的并车操作； 2.2.2 同步发电机有功功率的分配与调节； 2.2.3 同步发电机的卸载及停车操作； 2.2.4 发电机不能建立电压故障排除； 2.2.5 排除电网常见故障	船上培训	船舶辅机与电气/实船1艘	第 9 章第 2 节	实船	25～32号/C	1:8	

注:1. 理论教员根据培训公司课程安排,安排一名教员进行理论课程培训教学。

2. 实操训练根据培训大纲的要求分组进行培训,见 6.11“实操教学方案”。

3. 本课程表中的培训内容及培训内容序号是《内河船舶船员适任培训和考试大纲(2019 版)》的一类轮机长的培训内容及培训内容的序号。

6.9　教学管理和资源保障

6.9.1　教学管理和资源保障说明

(1)按照《中华人民共和国船员培训管理规则》对内河一类轮机长的培训课程要求,配备了规定的场地、设施及设备,保障了基本安全培训课程开展教学与培训所需的场地、设施及设备。

(2)配备教学管理人员 8 人,能保障基本安全培训课程教学与培训日常教学管理。

(3)按要求建立了船员教育和培训质量体系,并建立了相关规章制度,保障了内河一类轮机长课程培训安全及培训教学的正常开展。

(4)制订了完善的基本安全培训课程教学计划,确保内河一类轮机长培训课程培训的教学质量。

内河一类轮机长课程采用的培训教材和培训内容符合《培训和考试大纲》和水上交通安全、防治船舶污染要求;教学人员的数量符合培训规模的要求,教学能力符合课程的培训目标要求;培训内容理论和实操课时安排合理,符合《培训和考试大纲》的要求;培训方式合理,资源保障科学、有效,完成课程后能达到内河一类轮机长岗位的培训课程目标,资源保障符合要求。

6.9.2　教学和训练的安全保障与节能环保措施

1. 安全保障

(1)训练前的准备

①后勤管理员检查应急药箱,应备有祛风油、万花油、红药水、碘酒、止血贴、绷带、纱布、棉花、敷料剪等。

②教学部申请使用实训室、实训船;设备管理员会同教师、船长对设施、设备进行全面检查,使其适航、适用;应特别注意船上的救生、消防设备的数量。

③招生部再次确认上船训练的学员必须经基本安全培训,并持有合格证。

④教师按学员人数进行分组,每组不超过 10 人;每组指派一人为组长,协助教师进行安全管理;在船训练人数不得超过救生设备的配置数量。

(2)安全保障

①新学员入学后,首先应对其进行安全教育,要求学员必须严格遵守培训中心的各项规定。

②培训期间,严禁学员在上课时间私自外出,提高学员的安全意识,注意防患于未然。

③教师负责组织学员实训全过程;教务员负责实训学员的安全管理工作。

④实训船船长负责检查跳板、安全网的搭接是否安全、牢固,如有隐患,应立即排除。

⑤学员在实训船上实训纪律:

a. 全体学员在船上及码头的一切行动必须服从教师的安排;

b. 学员上下船、码头应按顺序,防止拥挤、碰头、绊脚、滑跌等;

c. 禁止学员乱动、乱摸船上设备;

d. 禁止学员进入船首部及其两舷侧、码头玩耍嬉闹,以防坠海;

e. 每天开始训练前或考试结束后,全体学员离船上码头,由教师集合队伍清点人数,确认全体学员到齐后,方可带队离开。

⑥学员实训守则:

a. 整理、清洁拆装场地,测量工具和起吊工具等应完好。

b. 正确使用工具,拧不动、拉不出时要查找原因,切勿强敲硬拉。

c. 拆装重、大件时,应使用葫芦起吊。起吊前应检查确认葫芦、三脚架支承点、吊钩、绳索、吊环、卸扣和绑扎器等安全可靠。

d. 使用砂轮机时,操作者应戴防护眼镜和口罩,站立位置应与砂轮中线有一定距离,以防磨屑伤身、入眼。

e. 室内严禁吸烟,下课后清洁现场,收拾工具,离开时切断电源。

2. 节能环保

(1)驾驶岗位和轮机岗位的动力装置的启动、运行管理、故障排除等实操训练安排在实训船上进行。同时开班时,驾驶岗位和轮机岗位可同步进行。

(2)轮机岗位的机电设备拆、洗、检、修、装等,安排在实训室操作。

(3)禁止在实训船训练处所、实训室、教室吸烟和乱丢垃圾等;清扫出的垃圾,集中放入环卫局设置的接收容器。

(4)实训船的含油污水按《中华人民共和国防止船舶污染内河水域环境管理规定》处理;实训室清洗机件用的柴油集中存放,经分离或沉淀后可供下次使用。

3. 特别规定

(1)实训船轮机长是船舶动力装置的最高管理者,未经轮机长同意,不得乱动或启动。实训过程中若出现故障或应急情况应及时报告,在轮机长的指导下处置。

(2)实训船船长是船舶安全和防污染的最高管理者,实训过程中若发生或即将发生紧急情况,所有在船人员必须听从船长的管理和指挥。驾驶台操纵设备的助航仪器等未经船长许可不能动用,应在船长的指导下使用。

6.9.3 船舶动力装置设备拆装安全措施

1. 拆装前的准备

(1)整理、清洁拆装现场,备好各种工具,如测量工具和拆装工具等。

(2)拆装主机时,在主机操纵处悬挂"禁止动车"的警告牌,设法固定轴系,以防水流带动螺旋桨转动,使轴系滑出舷外。放净各系统中的水、燃油、滑油和压缩空气及气缸内的燃(废)气等,切断有关电路,方可按顺序拆卸。如需盘车,要检查并确认无人和物影响,若有应发出警告信号通知有关人员,以防机件伤人。

(3)拆装各种辅机和附属设备时,应在相应的操作处或电源控制处悬挂"禁止使用"或

“禁止合闸”的警告牌。

(4)拆装电机时,应在控制分电箱悬挂“禁止合闸”的警告牌,并取出控制箱的保险丝。装复试车前,要确认系统无人操作并发出警告信号后,方可合闸。

(5)检测空气瓶、压力柜和压力管系时,应先泄放压力,然后拆卸。

2. 拆装注意事项

(1)正确使用工具(如无必要,不要使用活动扳手),保持机件整洁,保护机件工作面,等等。

(2)注意机件的配对记号,无记号的应打上记号。

(3)拧不动、拉不出时,要查找原因,切勿强敲硬拉。

(4)装配时,所有待装零件应清洗干净,并用压缩空气吹净,所有相互运动的零件接合面均须涂上清洁滑油。

3. 吊拆(装)重、大件注意事项

(1)起吊前,要检查确认起重葫芦、支承点、吊钩等无缺陷、伤裂痕、严重锈蚀等,有关绳索、吊环、卸扣和捆扎器等安全可靠。禁止使用断股钢丝绳、霉烂绳索和残损的起吊属具。严禁超负荷使用葫芦等起吊工具。

(2)起吊时,先慢速将吊索绷紧后,再摇晃绳索并注意观察,确认牢固、均衡且起吊机件已松动,再缓慢起吊。如发现吃力,应立即停止并检查是否超负荷或是卡阻。例如:吊机体时,是否有隐蔽螺栓未拧出;吊出活塞连杆组时,是否未清净炭渣或缸套磨台未修圆滑而出现卡阻等,不要硬拉,否则会拉松(出)或碰伤缸套。

(3)起吊、运过程中,禁止身体任何部位处于重、大件的下方;高空吊运时,禁止人员在其下方通过或工作。

(4)起吊后的机件应立即在稳妥可靠的处所放下,并垫置捆扎好,垫置物不能为铁块。

6.9.4　学员人身安全防护制度

第一条　为加强学员安全管理,保障学员人身和财物安全,促进学员身心健康,维护正常的教学秩序,营造良好的学习环境,根据国家的相关规定,结合公司实际,制定本制度。

第二条　公司各岗位要对学员适时地进行安全教育和管理。学员必须自觉学习安全知识,主动接受各类安全教育,增强安全意识,提高防范能力。学员要热爱生活,珍惜生命,增强对自身、家庭和社会的责任感,自觉履行成年人的义务和责任。

第三条　学员有维护公共安全和社会稳定的义务。学员在培训期间的日常生活、学习、实习和各项活动,都必须严格遵守国家法律、法规及公司的管理制度,遵守社会公德,服从管理、听从指挥。

第四条　学员必须自觉遵守治安管理规定。不得私藏和使用火药、管制刀具、仿真枪支等违禁品,违反者视情况按治安管理规定和公司的管理制度处理,触犯刑法的移送司法机关处理。

第五条　学员必须处处注意安全,不得攀越围墙、窗户和栏杆等;不得坐在窗台、阳台护栏上;不得在电梯、楼梯等处所嬉闹、推挤;严禁将课本、文具、雨伞等物品放在窗台、阳台护栏上，防止高处落物危及他人安全。

第六条　学员要自觉做好防火工作。不得在教学楼内焚烧废弃物；不得使用蜡烛、煤油炉、酒精炉、液化炉、木炭炉等明火用具；不得使用电炉、电饭煲、电炒锅、电热壶、电热棒等大功率的电器；不得私拉电线和私自安装电源插座、开关；不得存放和使用易燃、易爆物品；不得乱扔烟头。

第七条　学员要自觉加强财物管理，贵重物品、现金等应妥善保管，随身携带。

第八条　学员要自觉维护公共秩序，不得乱扔酒瓶、饮料瓶或其他物品，以免伤害他人和破坏环境。

第九条　学员要自觉遵守消防安全和校园治安管理的有关规定，爱护各种消防设施设备和治安监控设备，严禁随意移动或使用、损坏各种设备器材。

第十条　学员要加强体育锻炼，增强体质，患病应及时就医。凡确诊患有精神病、癫痫病或其他不宜继续参加培训的疾病，要按规定办理退学。如有必要，退学的学员必须由其亲属来办理相关手续并领回。

第十一条　学员外出实习，要自觉维护自身的形象，注意自身的安全；严格遵守实习单位各项纪律和制度，服从管理，不得从事任何违法违规和不利安全的活动。在船上实习时，不得擅自进行跳水、游泳、在水中嬉闹等危险活动。

第十二条　学员集体或个人在外用餐时，要讲究文明礼貌，注意饮食卫生，不得酗酒闹事。

第十三条　学员之间应团结友爱，严防发生打架斗殴事件，伤害他人要负一切经济和法律责任。

第十四条　教师、班主任不得随意把学员驱逐出教室，如有违反，公司将给予批评。

第十五条　严禁教师、班主任辱骂、体罚或变相体罚学员。不准歧视生理有缺陷和“学困”的学员，所有学员在政治上、人格上一律平等。

第十六条　公司任何人无权对学员进行人身搜查、限制人身自由、扣压身份证或正常书信，更不准私拆他人信件、包裹。

第十七条　上课期间，教师有责任保护学员的人身安全，如有违反规定导致学员发生意外的，由该教师负主要责任。

第十八条　公司的全体教职员工都有义务保护学员的人身安全，对学员在公司内打架或其他伤害人身安全的行为或遭受外来人员侵害而视而不见者公司将给予严厉处分。

第十九条　当学员人身安全、集体和个人财产安全面临严重威胁或发生重大损害时，知情人要立即向公司领导报告。公司领导应迅速组织力量，采取措施，排除险情，消除隐患，保护现场，同时做好稳定工作，恢复秩序，并积极协同地方有关部门处理善后事情。

第二十条　因学员违反国家法律法规、公司管理制度和本制度而产生的一切后果，由当事人承担全部责任。

6.9.5　公共卫生事件应急预案

为了加强公司公共卫生事件及传染病预防工作，提高公司的应急速度，保证应急工作的高效、有序开展，确保疫情发生后能够统一指挥，有条不紊地做好全体师生的预防措施，使损失降到最低限度，特制定本预案。

1. 预防工作

贯彻上级有关传染病防治工作精神，利用板报宣传传染病防治知识。

2. 处置措施

(1)一旦出现疫情，公司领导要立即上报有关部门，同时亲临现场指挥，落实具体工作措施，加强预控工作。

(2)在公司的统一安排下，要求传染病感染者立即戴防护口罩、手套，隔离休息。

(3)学员、教职工若出现传染病症状，要立即送往指定医院进行诊断治疗，并及时通知其亲属，防止疫情扩散。

(4)公司对传染病感染者所在班级教室或办公室及所涉及的公共场所进行消毒，对与传染病感染者密切接触的人员进行隔离观察，防止疫情扩散，迅速切断感染源。

(5)传染病感染者在医院接受治疗时，禁止任何同学、同事前往探望。

(6)如为传染病烈性感染，要采取一切有效措施，迅速控制传染源，切断传染途径，保护易感人群。具体做到：

①封锁疫点。立即封锁患者所在班级或所在办公室，暂停公司一切活动。停止公司内人员相互往来和与外界往来，等待卫生防疫部门的处理意见。

②疫点消毒。对公司所有场所进行彻底消毒。

③疫情调查。公司密切配合疾控中心进行调查，对传染病感染者到过的场所、接触过的人员进行随访，并采取必要的隔离观察措施。

(7)发现传染病感染者后，公司迅速向全体师生公布病情感染源以及公司采取的防护措施，让广大师生了解情况，安定人心，维护稳定，树立战胜传染病的信念。

3. 注意事项

(1)一旦发生疫情，为防止病毒的传播，公司将按照有关要求，根据疫情发展情况，做出是否停课、局部停课、全部停课的决定。

(2)正确做好舆论宣传引导工作，做到信息准确、公开、透明，确保稳定。

(3)一旦发现疑似感染者或传染病病例，要随时发现随时报告，不得放松警惕，杜绝麻痹思想。公司要随时将病例发展情况及时上报，做到不瞒报、缓报、漏报。

(4)疫情期间实行每天“0”报告制度。

(5)教职工生病被诊断为传染病或疑似传染病者要及时主动报告公司。

(6)坚决杜绝染病教职工、学生带病上班、上课，必须由医院出具已康复诊断证明并不再存在传染危害后方准许回公司上班、上课。

6.10 教学管理人员配备

教学管理人员配备见表6－11。

表6－11 教学管理人员配备一览表

序号	姓名	部门职务	学历	工作职责
1	×××	中心主任	中专	教学管理
2	×××	管理者代表	大专	培训管理
3	×××	教学部主任	中专	教学管理
4	×××	招生部负责人	大专	招生管理、学员管理
5	×××	培训管理员	大专	培训管理、档案管理
6	×××	办公室主任	大专	设施设备管理
7	×××	教师/管理员	中专	质量管理
8	×××	教学部教务员	大专	教学管理

6.11 实操教学方案

实操训练共8.5天,安排4位教师,根据《培训和考试大纲》分组进行。每天训练8小时,实操师生比根据《培训和考试大纲》的分组人数要求进行。每天8小时(上午4小时,下午4小时,上午和下午每训练1小时休息10分钟),上午07:40—12:10,下午13:30—18:00。每位教师根据总的实操教学方案,每天按对应的分工组织分组学员开展培训。

表6－12为实操教学安排表(见书后附表)。

6.12 实操补训安排

训练过程中,由教师根据评估规范测评各位学员是否达到该实操项目的要求,对不达标的学员(包括补考学员)安排补训。根据要补训学员人数及补训内容安排3天补训,见表6－13。

表 6－13　实操补训安排表

序号	实操项目(《内河船舶船员适任培训和考试大纲(2019 版)》一类轮机长的实操培训内容及其序号)	天数	地点	分组	教师
1	1.2.1 压缩压力测量和爆压的测量实训	第 1 天	轮机实训室	分 4 组,每位教师指导一组,在实训室进行	ABCD
2	2.1.1 柴油机曲轴臂距差测量、分析与判断				
3	3.2.1 废气涡轮增压器常见故障排除方法				
4	1.2.1 配气系统常见故障的分析判断				
5	1.2.2 燃油系统的常见故障的分析判断				
6	1.2.3 柴油机润滑系统的常见故障分析判断				
7	1.2.4 柴油机冷却系统的常见故障分析判断				
8	2.2.1 船舶主柴油机启动后的参数监测和调整(水温、水压、油温、油压)				
9	2.2.2 船舶主柴油机修理后的参数监测和调整(机动运行及定速操作)				
10	2.2.1 螺旋桨的螺距测量				
11	2.2.2 螺旋桨的静平衡试验				
12	1.2.1 根据机舱布置图安排机舱巡回检查路线	第 2 天	轮机实训室	分 4 组,每位教师指导一组,在实训室进行	ABCD
13	1.2.1 柴油机运行中滑油温度、压力异常现象分析和应急处理步骤				
14	1.2.2 柴油机运行中冷却水温过高原因分析和应急处理步骤				
15	1.2.3 柴油机运行中敲缸原因判断和应急处理步骤				
16	1.2.4 柴油机紧急停车操作步骤				
17	1.2.1 气缸盖拆装与检查				
18	2.2.1 柴油机止推轴承的检查				
19	2.2.2 柴油机推力轴承的检查				
20	3.2.1 增压器 *K* 值的检查				
21	1.2.1 液压阀件的拆装				
22	1.2.2 液压油泵的拆装				
23	1.2.1 航行中主开关跳闸情况的应急处理及各种跳闸的故障排除	第 3 天	船上培训	分 4 组,每位教师指导一组,在实训室进行	ABCD
24	2.2.5 排除电网常见故障				
25	2.2.1 组织船舶搁浅、碰撞、污染和机舱进水、灭火、舵机失灵演习				
26	5.2.1 燃油加装及测量模拟训练				
27	6.2.1 机舱情景模拟训练				
28	1.2.1 双位控制调节操作				

表 6 - 13(续)

序号	实操项目(《内河船舶船员适任培训和考试大纲(2019 版)》一类轮机长的实操培训内容及其序号)	天数	地点	分组	教师
29	2.2.1 完成同步发电机的并车操作	第 3 天	船上培训	分 4 组,每位教师指导一组,在实训室进行	ABCD
30	2.2.2 完成同步发电机有功功率的分配与调节				
31	2.2.3 完成同步发电机的卸载及停车操作				
32	2.2.4 发电机不能建立电压故障排除				
33	1.2.1 舵机修理后的操作与调试				
34	1.2.1 船舶轴系校中				
35	2.2.1 锚机控制常见故障的排除并能测量电磁制动器的间隙				

附件　课程实操指南

内河船舶船员轮机专业

一类轮机长实际操作指南

××培训中心

目　录

A.1 压缩压力和爆压的测量

【设备数量】实操室可运行柴油机1台。

【培训教师】C。

【培训场地】轮机实操室。

【教学组织过程】安排一位教师,每8人一组,每组训练0.5小时。通过训练,学员能够进行压缩压力和爆压的测量。教师操作演示后,学员练习,教师现场指导并纠正。

【训练步骤】先检查设备仪器,然后进行压缩压力和爆压的测量实训。小组成员轮换进行训练,教师现场检查并纠正。

1. 训练目的

掌握最大压缩压力和爆压的测量方法。

2. 评估要素

(1)指出仪表的测量范围、分度值、精度等级等指标。

(2)正确调整柴油机于规定负荷下运转。

(3)正确选取所需量具。

(4)正确安装和取下测量仪表,测量操作正确。

(5)读数准确,能正确对测量过程中出现的误差进行分析。

(6)对仪表进行正确保养。

3. 操作指南

(1)压缩压力的测量

操作步骤:

①检查爆压表的状态。

②正确调整柴油机在空载工况下稳定运行。

③短暂开启示功阀,吹除管路中杂质后,关闭示功阀。

④正确安装爆压表,停止被测缸高压油泵供油;全开示功阀,测取压缩压力并记录。

⑤关闭示功阀,打开爆压表上卸放阀,卸放表内残余压力后取下爆压表。

⑥恢复被测缸高压油泵供油。

⑦测量完毕后,清洁保养爆压表。

(2)爆压的测量

操作步骤:

①检查爆压表的状态。

②检查确认柴油机在设定工况下稳定运行。

③短暂开启示功阀,吹除管路中杂质后,关闭示功阀。

④正确安装爆压表,全开示功阀,测取最大爆压并记录。

⑤关闭示功阀,打开爆压表上卸放阀,卸放表内残余压力后取下爆压表。

⑥测量完毕后,清洁保养爆压表。

A.2　柴油机曲轴臂距差的测量、分析判断

【设备数量】曲轴拐挡表1个、可拆装柴油机1台。

【培训教师】A(C)。

【培训场地】轮机实操室。

【教学组织过程】安排一位教师,每8人一组,每组训练2小时。通过训练,学员能够采用曲轴量表进行柴油机曲轴臂距差测量、分析判断,并得出结论。教师操作演示后,学员练习,教师现场指导并纠正。

【训练步骤】先确定曲轴拐挡表的安装位置。根据已经确定的盘车方向,将所测量气缸的曲柄盘车至下止点后15°左右(带连杆)作为安装表的位置,即第一测量位置,然后进行测量、分析判断实训。小组成员轮换进行训练,教师现场检查并纠正。

1. 确定曲轴拐挡表的安装位置

(1)根据已经确定的盘车方向,将所测量气缸的曲柄盘车至下止点后15°左右(带连杆)作为安装表的位置,即第一测量位置。

(2)找到该缸曲柄上测量孔的位置并进行清洁。

(3)对检查无误的曲轴拐挡表,根据所测曲轴臂距的大小,选择并调整曲轴拐挡表测量杆的长度,使之比臂距大1~2 mm,并将测量杆锁紧。

(4)找准曲柄臂上的测量孔,将曲轴拐挡表测量杆两端的顶尖压装入两曲柄的测量孔中。确定其稳固后,用手拨动量表使其来回摆动2~3次,观察指针有无摆动。

(5)在确认曲轴拐挡表安装良好后,转动表盘指针调到“0”位。

2. 测量曲轴臂距差并记录

沿着转向依次盘车至相应位置并记录读数。只能正向盘车,不能反转。

(1)不带连杆臂距差的测量记录。曲轴未装活塞连杆机构时,曲轴回转一周,测量曲柄销0°、90°、180°、270°四个位置的臂距值并记录读数。

(2)带连杆臂距差的测量记录。曲轴已装活塞连杆机构时,由于曲轴转至下点时,活塞连杆机构位置恰好居中,不能安装曲轴量表。故生产中用曲柄销位于下止点前后各15°位置,即用165°和195°位置的臂距平均值代替下止点180°位置的臂距值。因此盘车至195°处装表并将表针调至零值,依次测量195°、270°、0°、90°、165°五个位置的臂距值并记录读数。

3. 画曲轴中心线状态图,分析主轴承的高、低状态

利用臂距差、曲线状态与轴承相对位置的基本关系(图A-1),分析判断各挡主轴承相对位置。当臂距差$\Delta_{\perp}>0$时,表明该挡曲柄轴线呈塌腰状态,两个轴承低于相邻轴承;当$\Delta_{\perp}<0$时,表明该曲柄轴线呈拱腰状态,轴承高于相邻轴承。

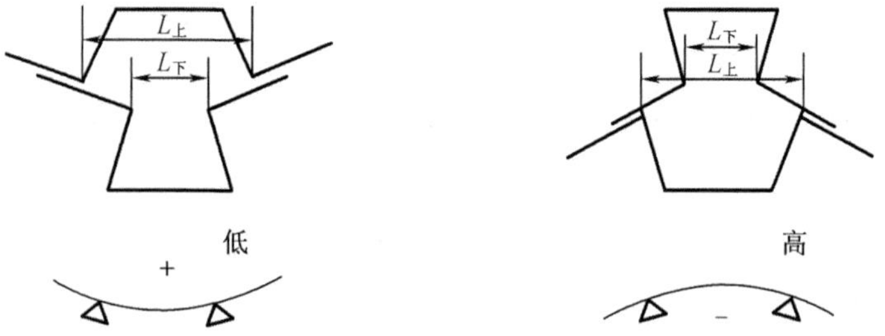

(a)轴承低时轴线呈塌腰状态　　(b)轴承高时轴线呈拱腰状态

图 A-1　臂距差、曲线状态与主轴承相对位置的关系

A.3　废气涡轮增压器常见故障的排除

【设备数量】废气涡轮增压器 1 台、可拆装柴油机 1 台。

【培训教师】C。

【培训场地】轮机实操室。

【教学组织过程】安排一位教师，每 4 人一组，每组训练 2 小时。通过训练，学员能够解决涡轮增压器的常见故障。教师操作演示后，学员练习，教师现场指导及纠正。

【训练步骤】先进行故障分析，再进行故障排除方法演示。小组成员轮换进行训练，教师现场检查及纠正。

废气涡轮增压器常见故障的排除方法如下：

1. 压气机的喘振

进气系统堵塞（例如空气滤清器芯堵塞、增压器由进气管道灰尘沉积而导致的吸气阻力增大），会引起发动机的增压压力下降且波动，使发动机动力下降、工作不平衡，同时产生黑烟。

2. 增压器在运转中强烈振动且产生噪声

增压器运转中产生强烈振动的主要原因是转子轴严重磨损，使轴承间隙加大，产生振动。涡轮与泵轮由于损坏或者由于灰尘油泥使转子动平衡遭到破坏而产生振动及噪声。如果噪声表现出来的是金属摩擦的声音，则显然是由于轴承松旷，涡轮或泵轮与壳体相摩擦，或是涡轮、泵轮叶片由于变形而与壳体摩擦。如果是周期性的噪声，则可能是涡轮、泵轮叶片变形或局部灰尘油污沉积所致。

3. 增压压力下降

增压压力下降是一项综合性的故障，其中增压器转子的转速下降是主要原因。一般来讲，发动机以额定转速(2 500 r/min 以上)运转时，增压器转子转速高达 15 万～20 万 r/min，使增压压力达额定值。当轴承与轴磨损，涡轮或泵轮的叶片变形、损坏，或是转子与壳产生摩擦等而使转子转速下降时，增压压力也随之下降。增压压力下降会直接影响发动机的动力。

4. 涡轮端或泵轮端排油

涡轮增压器转子轴上采用的是全浮式滑动轴承，为了确保其润滑，从发动机主轴道上直接引出一根机油管线通向增压器轴承腔给转子轴润滑。为了不使机油进入涡轮壳与泵轮壳，在轴承两端分别设置有活塞环式的密封环。当转子轴磨损，转子轴向特别是径向间隙超差较大时，该密封环将失去作用。有时操作不当会造成润滑条件恶劣，使密封环磨损、拉伤，导致密封失效而产生向涡轮端或泵轮端"排油"的故障，严重时会使排气管、消音器处存有大量油污和积炭，增大了排气阻力，降低了增压器的转速，使发动机动力下降。向泵轮端"排油"，严重时会使增压器至中冷器的管道中存有大量机油，中冷器被油污部分堵塞，增大了进气阻力，也会使发动机动力下降。因此，当发动机的机油消耗量增大时，如果不是发动机本身的问题，就应检查增压器是否"排油"严重。

5. 增压器转子轴被卡死或烧损严重而停止运转

增压器转子轴被卡死，外界异物将涡轮、泵轮叶片打坏而卡死都可使增压器停止运转。烧损严重时甚至会使轴折断。

增压器出现故障，不要匆忙地更换增压器，应该寻找和判断故障原因和部位，并尽可能地加以排除，这样可以避免换上增压器后喘振。如果增压器在工作过程中向气缸内输送空气量不足，空气压力将产生极大的波动，在压气机端发出异响(如气喘的响声)，这就是喘振。喘振会使发动机工作不平稳、功率下降、排气冒黑烟。

A.4　配气系统常见故障的分析判断

【设备数量】可运行柴油机1台。

【培训教师】B。

【培训场地】轮机实操室。

【教学组织过程】安排一位教师，每8人一组，每组训练1小时。通过训练，学员能够对配气系统的常见故障进行分析判断。教师操作演示后，学员练习，教师现场指导及纠正。

【训练步骤】先对配气系统常见故障进行分析判断并演示，通过看、听、摸、闻，对可能出现故障的零件进行拆卸、检查。小组学员轮换进行训练，教师现场检查及纠正。

1. 配气系统常见故障的判断

柴油机运行中出现故障，应仔细分析其原因，以便做出正确的判断，为故障的排除及事故的预防做准备。通常采用看、听、摸、闻及检查等方法对故障进行分析判断。

看：靠视觉观察柴油机的外观、仪表的指示以及排气烟色等是否出现异常情况。

听：通过听觉区分柴油机正常运转发出的声音和非正常机械摩擦或撞击等异常响声。

摸：通过手感判断和确定故障轻重程度及具体部位。

闻：通过嗅觉确定及鉴别柴油机某些部位出现的异常。

检查：对可能出现故障的零件进行拆卸检查，同时注意相关零件的损坏情况；综合分析并判断故障发生的真正原因，然后针对故障的原因"对症下药"，制订预防措施。

2. 配气系统常见故障

(1)进气受堵，这主要由空滤器积尘过多或受潮所致；

(2)进、排气门间隙过大或过小，柴油机会发出异常响声；

(3)配气定时不对，装错或消切后位移；

(4)排气受堵，可能由进气压缩力不足所致。

3. 气门响的诊断方法

(1)故障现象

发动机怠速时发出连续不断的、有节奏的“嗒、嗒、嗒”(在气门脚处)或“啪、啪、啪”响声。在气门座处的敲击声，转速增大时，响声也随之增大，温度变化或单缸断火时响声不变。若有多只气门响，则声音比较杂乱。

(2)故障原因

①气门脚响：

a. 气门间隙太大；

b. 气门间隙调整螺钉松动或气门间隙处摇臂和气门杆端的接触面不平；

c. 配气凸轮外形加工不准或磨损过甚，造成缓冲段效能下降，加重了挺杆对气门脚的冲击；

d. 气门脚处润滑不良。

②气门落座响：

a. 气门杆与其导管配合间隙太大；

b. 气门头部与气门座接触不良；

c. 气门间隙太大。

③故障诊断与排除方法。

a. 听诊：打开加机油口盖，当发动机怠速运转时，听到有节奏的响声，可稍提节气门，如此时响声变明显，逐渐加油时响声又随转速的提高节奏加快，可初步断定为气门脚响或气门落座响。

b. 柴油机由于受着火敲击声的影响，气门响不易听诊。听诊时可采用提高转速后迅速收油门的方法，在发动机降速时，应避开着火敲击声的干扰，仔细倾听。

c. 检查气门间隙：若间隙过大，应调整到标准值，然后再启动发动机，如响声消失，说明是气门脚响；如响声无变化，说明是气门落座响。

4. 气门座圈响的诊断方法

(1)故障现象

①发动机冷车启动时，响声易出现。

②声音与转速无关，只是偶尔发出清脆的声响，但很快就会消失，严重时，此声音频繁出现。

③声音出现，伴随着个别缸不工作，声音消失后，发动机恢复正常。

④具有火花塞跳火一次、发响一次的规律。

(2)故障原因

①气门座圈与汽缸体相配过盈量过小造成松旷。

②选用气门座圈的材料不当，热膨胀系数小。

(3)诊断与排除

①声音出现时,伴随个别缸不工作,声音消失,发动机恢复正常,可判断为不工作缸的气门座圈松脱。

②测量气缸压力,压力低的气缸为异响缸。

5. 气门挺柱响的诊断方法

(1)故障现象

①发动机怠速运转时,在机体凸轮轴一侧发出有节奏、清脆的“咯咯”声。

②发动机怠速时,声音比较明显,中速以上可能减弱或者消失。

③发动机温度变化或断火试验时,声音不变化。

(2)故障原因

①挺柱与导孔的圆度、圆柱度超差或配合松旷,使挺柱碰撞导孔壁发出异响。

②挺柱环形球面或凸轮磨损变形,导致挺柱在导孔内运转不灵活或卡滞。

③飞溅润滑不良。

(3)诊断与排除

逐一排除法,用铁丝钩住挺柱,若响声减弱或消失,则为该挺柱响。

A.5　燃油系统常见故障的分析判断

【设备数量】可运行柴油机1台。

【培训教师】A。

【培训场地】轮机实操室。

【教学组织过程】安排一位教师,每8人一组,每组训练1小时。通过训练,学员能够具备对燃油系统常见故障进行分析判断的能力。教师操作演示后,学员练习,教师现场指导及纠正。

【训练步骤】对燃油系统常见故障的分析判断进行演示。小组成员轮换进行训练,教师现场检查及纠正。

1. 柴油机燃油供给系统的常见故障及原因

(1)发动机难以启动

发动机难以启动的原因有两种:一是启动时排气管不往外排烟;二是启动时排气管排出灰白色或白色的烟雾。第一种情况通常是因为空气滤清器受到堵塞、排气管排气不畅通或管路有破损,导致空气进入油路中,使得供油量达不到启动发动机的需要。第二种情况引起的发动机不易启动,主要在于发动机温度过低,导致进气管道被堵塞;同时也要考虑喷油泵供油量太小和气缸内压强过低的可能性;另外,柴油本身质量不好会造成自燃条件比较差,排出的大量白烟可证明柴油未经过燃烧就被直接排出。

(2)发动机动力不足

动力不足常常表现为发动机运转均匀、无高速现象,以及排气管排气量过少;当然有时也表现为运转不均匀、排气管排烟不正常。

（3）工作粗暴

造成发动机工作粗暴的原因有很多种，大致可以归纳为以下几类：进气管被堵塞或空气滤清器被堵塞造成的进气不足；喷油时间过早或过晚，各缸喷油不均匀；选择的柴油型号不恰当。

（4）运转不稳定

造成发动机运转不稳定的原因有：燃油供给系统油路内有空气，导致供油不稳定；喷油泵偶件磨损不均，导致供油不均；调速器调整不当，各连接件不灵活或间隙过大；凸轮轴的轴向间隙过大，喷油泵泵油时，凸轮轴受脉冲振动，导致不稳定。

2. 燃油供给系统常见故障诊断与排除

针对柴油机燃油供给系统常见故障的形成原因和表现形式，必须做到认真分析、理性判断和及时处理，将安全隐患控制在可控范围内。

（1）发动机难以启动的故障诊断与排除

①燃油供给系统堵塞造成发动机难以启动。发动机启动后并无起车迹象，同时排气管无烟排出，说明柴油并没有进入气缸中，应立即分析原因和检查各项性能，将故障排除；如果用手去拉手油泵按钮时，手部明显感觉到有吸引力，松开手后按钮又自动回位，则表明油路受到了堵塞；还有一种情况就是选择了不恰当的柴油型号，如冬天时使用了夏季专用柴油，柴油受冷空气作用产生冷凝现象会析出石蜡成分，极易将发动机油路阻塞。

②燃油供给系统泄漏造成发动机难以启动。油管接头出现松动或破裂会导致管路出现漏气现象，通过扳动手油泵，观察螺栓处是否有泡沫状的柴油流出就可判定故障。处理方法是立刻进行修理，紧固螺栓，问题严重时直接更换油管；如果在启动发动机时，排气管中冒出大量白色气体，散热器上亦有气泡，则说明有水进入燃烧室中。这种情况多数是由气缸垫损坏、缸盖螺栓松动以及缸体破裂引起水渗进机油中造成的，应该及时更换损坏的气缸垫，紧固气缸盖周围螺栓，将气缸体破裂处及时修好。

③机件损坏造成发动机难以启动。燃油供给系统中的部分机件损坏也会影响发动机的启动，如果调速器和供油拉杆卡住，则是由于拉杆损坏或处在不供油的位置；如果出油阀表面有油渍溢出，则表明出油阀密闭性不够，这有可能是由螺栓松动造成的，应按照规定及时将其拧紧或更换。

（2）动力不足的故障诊断与排除

①供油量不足和空气进入。导致发动机动力不足的原因有很多，如果发动机运转正常而出现动力不足，通常是由额定供油量不能达到标准造成的。检测方法是将加速踏板直踩到最底部，然后扳动喷油泵的油量调节臂，如果能够向加油的方向转动，说明加速踏板间隙过大，不能保证最大供油量的供给，应立即修理；燃油系统中进入了空气也会导致发动机动力不足，主要原因是各管之间接头松动，将油路和气缸中的空气排出即可解决。

②不完全燃烧。如果出现发动机运转不均匀和往外排黑烟的现象，则说明存在潜在的动力不足。通常是由各个气缸之间供油不均匀以及喷油时间过早导致的不完全燃烧引起的，应立即清洗空气滤清器；当某个气缸或多个气缸在断油时出现黑烟明显减少的情况，说明该气缸供油不准确，可通过调整喷油泵中滚轮装置的高度来达到准确供油。

（3）工作粗暴故障的诊断与排除

柴油机工作粗暴的原因与柴油性能、进气系统及喷油时间有关。本书总结了两种出现工作粗暴故障的现象及解决方案,具体可以根据发动机响声进行判断。

①若发动机发出的响声很均匀,则说明发动机气缸之间工作情况相差不大。这时可采取急加速试验,如果急加速时发出刺耳的尖叫声,排气管亦有黑烟冒出,则表明是喷油时间过早,调整到稍微迟些即可,如果明显感到加速困难,排气管中冒出的是白烟,则表示喷油时间太迟,应该予以调整;如果调整过后发现效果并不明显,应该考虑可能是空气滤清器被堵塞,导致进气管不通畅;如果喷油时间正确,进气系统也无问题,则说明柴油牌号没有选择正确,更换柴油牌号即可。

②若发出的响声不均匀,则表明发动机气缸之间工作情况不够一致,可采取单杠断油的方法找出有故障的气缸。如果某个气缸减少供油之后发动机响声和排烟现象都消失,说明供油量太大;如果减少供油后发动机的响声减弱但不停止,说明喷油时间太早。供油量大、时间过早这两种影响因素都可以通过油量调节杆来调整,同时还可通过检测气缸的温度来确定供油量的大小。

(4)发动机运转不稳定的诊断与排除

①柴油机出现“游车”现象的诊断和排除。这种现象通常是由喷油泵和调速器出现故障引起的。一般通过检查供油齿杆是否灵活就可判断出喷油泵式的调速器是否出现问题。如果齿杆不能够灵活移动,则说明有物质阻碍了柱塞的运转,或者是其他运动组件产生了较大的摩擦力阻碍了柱塞的正常转动。出现这种现象多半是由于调速器中的机油太脏或太过黏稠,应立即更换机油;如果供油齿杆在移动时明显感到受到很大的阻力,则应该立即逐一检查是否为出油阀座的螺栓太紧,同时查看喷油泵内有没有受到腐蚀,待查明原因后,立即予以排除;如果齿杆移动自如,则说明调速器各个部位的连接点出现松动状况。外壳松动,齿杆、凸轮轴轴向间隙过大等都可能引起“游车”现象,需要对整个调速器进行检查和维修,恢复其正常工作性能。

②柴油机转速失控诊断和排除。发动机突然转速失去控制,急速上升并且超过了允许值,就会造成“飞车”现象,严重时还有可能造成人员的伤亡。在高速运转时,如果柴油机的转速随着加速踏板抬起出现降低现象或者其直接熄火,则是因为机油太过黏稠,或者是调速器在凸轮轴上脱落下来,应立即更换机油;如果拉出熄火按钮能使柴油机熄火,则表示柱塞和油量调节杆都卡住了。出现这种现象是因为调速器总成和凸轮轴之间出现松动;如果拉出熄火按钮,柴油机仍高速运转,则表示油量调节拉杆卡在了供油位置,需要将调速器总成拆下维修;如果供油系统未出现状况,那么导致柴油机高速运转的原因应该是燃烧室内有额外的燃油或机油参与了燃烧,应立即查明机油外窜的原因。确定额外机油从何而来,再予以排除。

A.6　柴油机润滑系统常见故障的分析判断

【设备数量】可运行柴油机 1 台。

【培训教师】A。

【培训场地】轮机实操室。

【教学组织过程】安排一位教师，每 8 人一组，每组训练 1 小时。通过训练，学员能够具备对润滑系统常见故障进行分析判断的能力。教师操作演示后，学员练习，教师现场指导及纠正。

【训练步骤】对柴油机润滑系统常见故障的分析判断进行演示。小组成员轮换进行训练，教师现场检查及纠正。

1. 机油压力不正常

润滑油压直接影响润滑部位的油量供给，也影响油膜的承载能力。柴油机主油道的机油压力一般应为 0.20～0.40 MPa，当低于 0.05 MPa 时将难以保证各零部件的有效润滑。油压不正常主要表现为油压过高和过低。

(1) 油压过高的原因

①油道堵塞，可能造成有些部位无润滑油供给。

②机油黏度过高，流通不畅，流量不足。

③细滤器脏，旁通油量过小。

④调压阀的压力调整不当或堵塞、卡死。

(2) 油压过低的原因

①机油黏度低，润滑部位的泄漏量大。

②各润滑件的配合间隙过大，机油的泄漏量增加，如曲轴主轴承间隙每增加 0.01 mm，机油压力大致降低 0.01 MPa。

③调压阀调整不适当。

④细滤器滤芯的密封圈失效，机油旁通量增大。

⑤机油冷却器发生故障，机油渗入水中。

⑥油底壳中油量少，机油泵吸入空气。

⑦管路泄漏。

2. 机油温度不正常

柴油机正常的机油温度为 90～110 ℃，油温过高会使机油黏度降低、油压下降，无法形成良好的油膜；油温过低则会使机油黏度升高、流动性变差、摩擦阻力增加，使发动机的功率损失加大。

(1) 油温过高的原因

①机油量不够。

②冷却效果不良，冷却水量或风扇风量不足，冷却器中水管内壁水垢增多、水流受阻，且因水垢是热的不良导体，因此机油热量不易传给冷却水。

③溢流阀压力低，机油从溢流阀溢出过多，通过冷却器的机油量减少。

④各润滑部位的配合间隙不当，不能形成合理的油膜，摩擦产生的热量增多。

⑤柴油机长期超负荷运行。

(2) 油温过低的原因

①冷却系统温度过低。

②溢流阀压力高，从油泵出来的油全部经冷却器冷却。

③柴油机长时间低负荷运行。

3. 机油消耗量大

发动机功率下降,油底壳机油平面下降较快,排气冒蓝烟,一般是由于油封或衬垫的渗漏或气缸壁磨损过度引起烧机油。具体原因如下:

①活塞与缸壁间隙过大;

②活塞环特别是油环弹性差;

③缸套、活塞环过度磨损,活塞环被粘住、对口,或扭曲环装反;

④活塞环与环槽边隙和侧隙过大,或活塞上油环回油孔被积炭阻塞;

⑤增压柴油机涡轮增压器弹力密封装置失效;

⑥气门杆与导管配合间隙过大或油封失效。

4. 油水混合

冷却水进入机油内,则机油变质呈乳白色,黏度降低甚至失效,造成润滑效果不好;同时,机油也会进入冷却水中与水垢及其他杂质混合,在水箱上部形成黏稠状混合物。

油水混合的原因:

①机油冷却器内部管子破裂或冷却器芯子两端的密封圈失效,使机油、水在冷却器内混合;

②缸套外壁水道胶圈老化变质失去密封作用,缸套周围的冷却水进入油底壳;

③缸床垫上的水封圈或油封圈失效;

④缸体或缸盖有裂纹,水漏入油底壳。

5. 机油变质过快

一般柴油机运转500 h应更换机油一次,但有时没用多长时间就会出现机油变稀、杂质增多的现象,无法继续使用。

机油变质的主要原因:

①机油牌号不对、质量达不到要求,一般增压和标定转速大于2 000 r/min的柴油机应选用CC级以上的机油;

②柴油机技术状况不好,窜气、窜油、配合间隙过大或油温过高;

③柴油机经常在低温、低负荷、低速下运转,活塞变形量不够,燃烧不完全,有柴油沿缸壁进入油底壳使机油稀释变质;

④废气进入油底壳凝结成水分和酸性物质,使机油变质;

⑤机油滤芯脏,未经滤清的脏机油进入润滑部位,加速零件的磨损;

⑥滤芯密封圈破裂而发生内漏,一部分机油未经滤芯而直接通过滤清器,从而造成机油变质。

A.7　柴油机冷却系统常见故障的分析判断

【设备数量】可运行柴油机1台。

【培训教师】A。

【培训场地】轮机实操室。

【教学组织过程】安排一位教师,每8人一组,每组训练1小时。通过训练,学员能够具备对冷却系统常见故障进行分析判断的能力。教师现场操作演示后，学员练习，教师现场指导及纠正。

【训练步骤】对柴油机冷却系统常见故障的分析判断进行演示。小组成员轮换进行训练，教师现场检查及纠正。

1. 过冷运转故障分析

柴油机在水温低于65 ℃下运行叫作冷运转。大功率发动机未曾充分运转使水温达到一定程度就会开始工作，或者当节温器开启温度过低时，冷却水过早进入大循环，都会引起过冷运转。当气缸壁温度从80 ℃降至50 ℃时，缸套的磨损增加约5倍。而在气缸壁温度达到80～85 ℃时，磨损量明显降低。水温过低，柴油在燃烧室温升较慢，滞燃期长，燃烧过程恶化，运转性能不良。

2. 水温过高故障分析

为使发动机达到热平衡，要用冷却水把25%左右的热量带走，使冷却水套中的水温保持在80～90 ℃。发动机水温超过95 ℃运行叫作过热运转。过热运转时，发动机水温过高。

水温过高是冷却系统常见的故障。引起水温过高的主要原因有：管路阻塞或水管内形成气阻；温器咬住，大循环阀门打不开，以及安装不适当；冷却水水量不足。泵风扇传动皮带过松，皮带打滑；泵叶轮与泵壳及泵盖端面间隙过大，引起水压不高，水量不足；冷水温表不准，误差大。泵漏气，上水量很小或水泵轴虽在转动，但水泵叶轮与水泵轴松脱。盖与缸体的水套内水垢过厚或散热器内结了厚厚的一层水垢，散热效果差。

柴油机冷却系统故障的排除：

(1)大功率柴油机在熄火放水时，应停放在前高后低的地方。再加水时，启动机水套里的空气便不能排出，从而使冷却水不能加足。将启动机的水管紧固螺栓拧松进行排气，待被堵在启动机水套内的空气排完后，再拧紧螺栓将水加足。

(2)在装有节温器的冷却系统中，节温器的主阀门阀盘上有一个直径为3～5 mm的小孔，加水时，大功率柴油机水道内的空气即由此孔经水箱逸出。若此孔被水垢和污物堵塞，加水时机体水套内的空气不便排出，造成冷却水不能充足。排除故障，用小锤轻轻敲击安装节温器的机体外壳部位。如果水箱上水室进水管发出“咕噜、咕噜”的排气声音，表明堵塞物已脱出。当气体排完后可继续将水加满，若无效则应清除节温器疏通小孔的堵塞物。

(3)水中，尤其是硬水中含有碳酸钙等物质。在气缸水套中，这些物质受热后会黏附在水套壁上，有的柴油机缸心距很小，相邻两缸之间的缸壁间隙很小。若两边结了水垢，会使水套通道变窄以致堵塞，影响水流循环。水垢的热导率很小，严重影响气缸套的散热。当水套结了一层水垢时，应及时进行清除。通常用下列配方之一的溶剂清洗：一是氢氧化钠(苛性钠、烧碱)1 kg、煤油150 g、水10 L；二是含水碳酸钠1 kg、煤油500 g、水10 L；三是2.5%的盐酸溶液；四是1 L水中加入40 g碳酸钠和10 g硅酸钠(水玻璃)。

(4)水泵的作用是对冷却水施加压力，强迫冷却水在冷却系统内循环流动，确保发动机的温度正常。水泵泄水孔漏水时，说明水封已经破损，应及时拆卸检查。

(5)如果散热器被严重堵塞，必须拆去上、下水室。用汽油焊枪或乙炔焊枪火焰对散热芯底板与上下水室之间的焊缝逐段加热，使焊锡熔化后从焊缝中流出，即可进行拆卸。若管口有沙粒、水垢等污物，可用小铁钩清除疏通。

(6)水温表指示为75 ℃左右时,打开水箱加水口盖。用手指从水箱的加水口盖处碰撞冷却水,感到热水烫手,说明节温器工作正常。如果感到水箱加水口处水温较低,且观察到加水口处无水流出或流水甚微,说明节温器主阀门可能卡死而打不开,使冷却水不能进行大循环。将节温器取下,如果柴油机温度可以达到正常值,则为节温器失败。有卡死或关闭不严的节温器应拆卸清洗或修复。

A.8　船舶主柴油机启动后的参数监测和调整(水温、水压、油温、油压)

【设备数量】可运行柴油机1台。

【培训教师】A。

【培训场地】轮机实操室。

【教学组织过程】安排一位教师,每8人一组,每组训练1小时,其中A.8“船舶主柴油机启动后的参数监测和调整(水温、水压、油温、油压)”训练30分钟,A.9“船舶主柴油机修理后的参数监测和调整(机动运行及定速操作)”训练30分钟。通过训练,学员能够对主柴油机启动后和修理后的参数进行监测和调整。教师操作演示后,学员练习,教师现场指导及纠正。

【训练步骤】启动柴油机,分别对水温、水压、油温、油压参数监测和调整进行操作展示。小组成员进行轮换练习,教师现场检查及纠正。

海事局评估要素如下:

①冷却水温度、压力检测及调整;

②燃油和滑油压力、温度检测与调整;

③增压器增压空气压力、温度检查。

主机燃油参数主要包括主机燃油温度、主机燃油压力(包括燃油供应泵压力及燃油循环泵压力等)。这些压力参数在集控室一般都可以查看到,如图A-2所示。

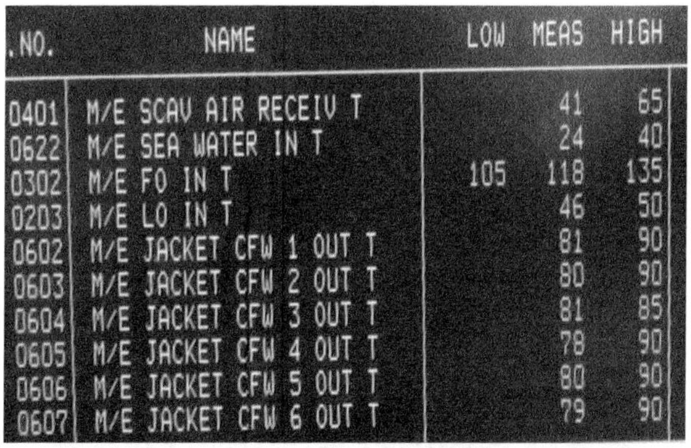

.NO.	NAME	LOW	MEAS	HIGH
0401	M/E SCAV AIR RECEIV T		41	65
0622	M/E SEA WATER IN T		24	40
0302	M/E FO IN T	105	118	135
0203	M/E LO IN T		46	50
0602	M/E JACKET CFW 1 OUT T		81	90
0603	M/E JACKET CFW 2 OUT T		80	90
0604	M/E JACKET CFW 3 OUT T		81	85
0605	M/E JACKET CFW 4 OUT T		78	90
0606	M/E JACKET CFW 5 OUT T		80	90
0607	M/E JACKET CFW 6 OUT T		79	90

图A-2　主机部分运行参数

监控主机的燃油进机温度为 118 ℃。如果温度(黏度)不符合要求,则应对温度(黏度)进行调节,红针是设定值,黑针是测量值,顺时针旋转红针,黏度设定值就降低,如图 A-3 所示。

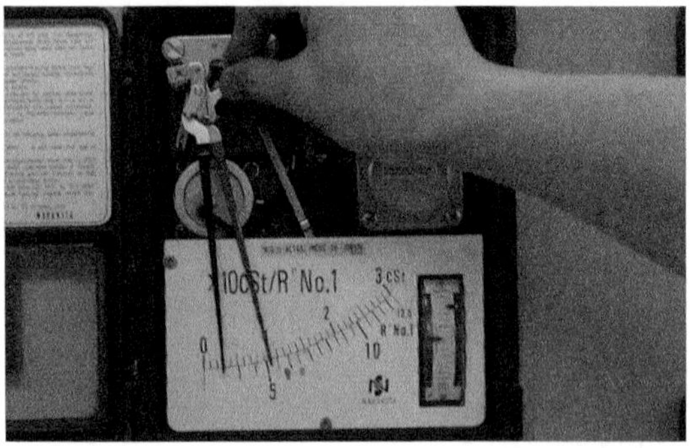

图 A-3　主机燃油温度(黏度)调节

检查主机燃油压力。主机燃油压力也会随着主机的负荷变化而变化,但这些变化都是在合理的范围内,如图 A-4 所示。

图 A-4　主机燃油压力

在主机燃油的回油管路上有一个调压阀,通过调压阀可控制主机的回油压力,如图 A-5所示。

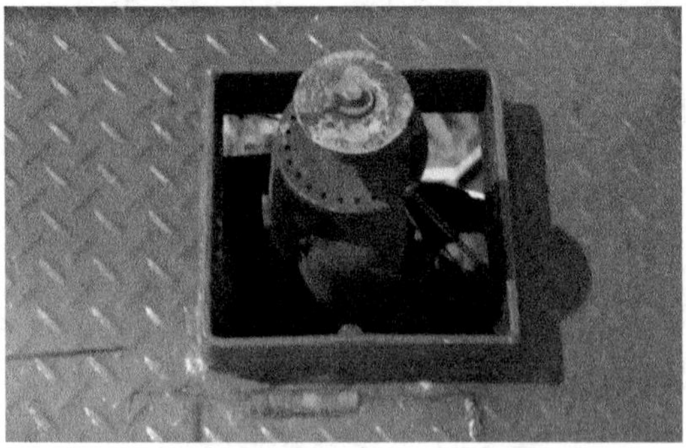

图 A-5　主机燃油回油压力调节阀

(2)主机缸套冷却水温度的监测与调整

主机启动之后,我们一般会将冷却水蒸汽加热器蒸汽进口阀关闭。主冷却海水泵暂时不启动。观察主机的淡水冷却温度及滑油温度,适机将主冷却海水泵启动起来。主机缸套冷却水的温度会随着主机的负荷变化而变化。因为自动调节系统都有一定的滞后性以及误差,所以可以通过设定主机缸套冷却水的进口温度来改变主机缸套冷却水的出口温度。如果主机负荷增加,应该降低进口的设定温度;如果主机负荷减小,应该提高进口的设定温度。其调节设定方法和燃油黏度设定一样,如图 A－6 所示。

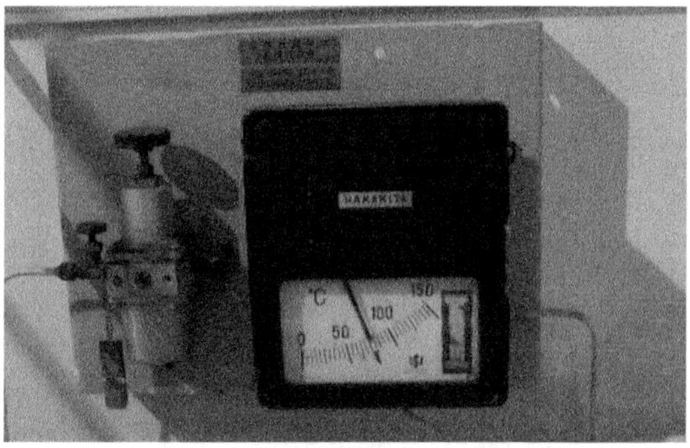

图 A－6　主机缸套冷却水温度调节设定

主冷却海水温度也可以进行调节。它也有一个温度调节器,其设定、控制原理与主机缸套冷却水温度设定器一样,主要是通过控制舱底的一个三通阀的开度,回收利用经过冷却系统的海水,与主冷却海水泵吸口的海水混合,从而调节主冷却海水泵的海水进口温度,如图 A－7 所示。

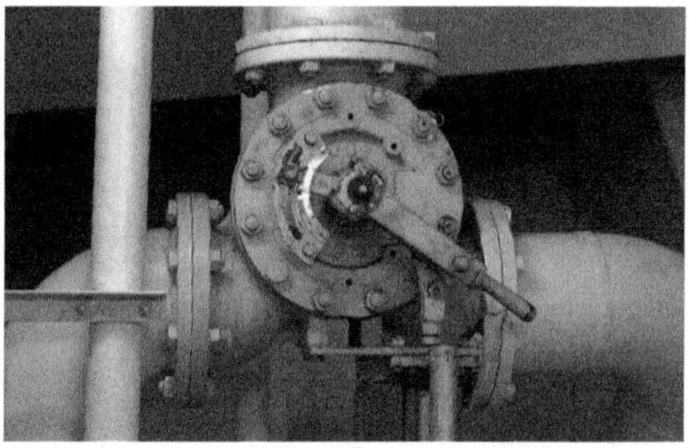

图 A－7　主冷却海水泵出海三通阀

(3)主机滑油参数监测与调整

从集控室的监控屏上,可以看到主机的滑油温度为 46 ℃,如图 A－8 所示。

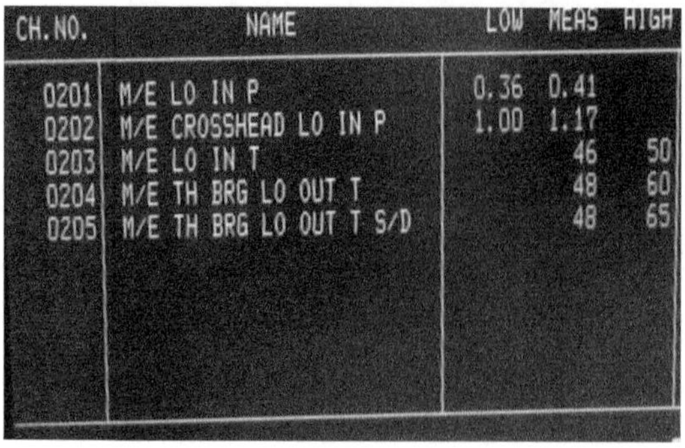

CH.NO.	NAME	LOW	MEAS	HIGH
0201	M/E LO IN P	0.36	0.41	
0202	M/E CROSSHEAD LO IN P	1.00	1.17	
0203	M/E LO IN T		46	50
0204	M/E TH BRG LO OUT T		48	60
0205	M/E TH BRG LO OUT T S/D		48	65

图 A－8　主机滑油参数

主机滑油冷却器及其三通阀如图 A－9 所示。

图 A－9　主机滑油冷却器及其三通阀

主机滑油温度控制装置如图 A－10 所示。

图 6－10　主机滑油温度控制装置

该装置主要用来调节主机滑油冷却器三通阀的开度情况。如果主机滑油进口温度太高，说明旁通量太大，此时通过调节温度控制器，可以使三通阀旁通量减小。如果自动控制调节装置发生故障，可以手动调节。在转动的方向上，标有 COOLER 及 BYPASS 字样，假设现在主机滑油温度是 46 ℃，如果想使其降低到 44 ℃，应该将手柄向 COOLER 方向转动。

调节之后要注意滑油温度是否降低，如图 A－11 所示。

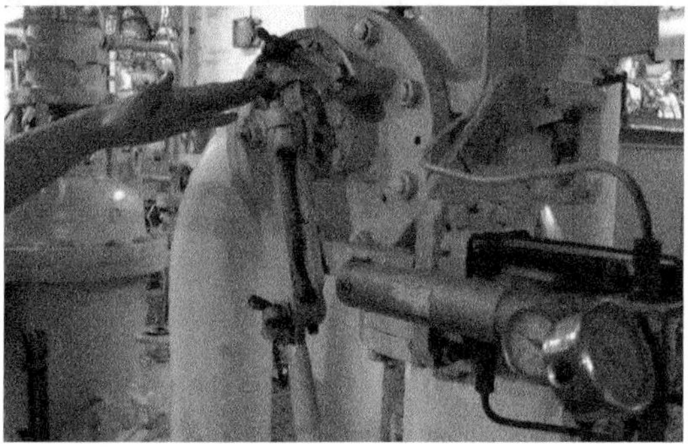

图 A－11　主机滑油温度手动调手柄

在集控室的操纵台上，可以看到主机的滑油压力，这个滑油压力我们一般不需要进行调节。

(4)主机扫气参数的监测与调整

要经常检查主机的扫气压力和滑油压力，如图 A－12 所示。

图 A－12　主机扫气压力及滑油压力

主机启动之后，其扫气压力会随着负荷增加而增大，当增大到一定程度之后，辅助鼓风机就会自动停止运行，但是主机继续降低，扫气压力随之降低到一定程度之后，两台辅助鼓风机会再次先后自动启动运行。检查主机的扫气温度，通过调节空冷器冷却海水量来对主机的扫气温度进行调节，如图 A－13、图 A－14 所示。

图 A－13　主机扫气温度

图A-14 主机空冷器及海水管路

A.9 船舶主柴油机修理后的参数监测和调整(机动运行及定速操作)

【设备数量】可运行柴油机1台。

【培训教师】A。

【培训场地】轮机实操室。

【教学组织过程】安排一位教师,每8人一组,每组训练1小时,其中A.8“船舶主柴油机启动后的参数监测和调整(水温、水压、油温、油压)”训练30分钟,A.9“船舶主柴油机修理后的参数监测和调整(机动运行及定速操作)”训练30分钟。通过训练,学员能够对主柴油机启动后和修理后的参数进行监测和调整。教师操作演示后,学员练习,教师现场指导及纠正。

【训练步骤】启动柴油机,分别对水温、水压、油温、油压参数监测和调整进行操作展示。小组成员进行轮换练习,教师现场检查及纠正。

1.机动运行参数监测和调整

观察各仪表的读数,转速表应为最低启动转速550~650 r/min;润滑油压力表的读数应为0.15~0.4 MPa,若在10 s内润滑油压力不能建立,应立即停机检查原因;润滑油温度应为40~65 ℃,不能超出85 ℃;冷却水温度应为40~65 ℃;电流表的指针若打在“+”极,即右边,说明发电机工作正常,表的指针若打在“-”极,即左边,说明发电机工作不正常,蓄电瓶电流倒流发电机;齿轮箱工作压力应为0.6~1.2 MPa。润滑油压力过低可调整调压阀,冷却水温度偏高可开大进水口流量。

2.定速操作管理

船舶主柴油机定速后,管理人员应做到“四勤”,即看、听、摸、嗅。

看,即检查、观察柴油机的工作情况,各管系(冷却水管、燃油管、滑油管)是否有漏水、漏油现象,观察各仪表是否处于正常的读数范围,观察排气管的排气烟色。

听,即倾听柴油机各部位的运转声音。

摸,即感受柴油机各运转部位的温度。

嗅,即闻一闻机舱内是否有异味,如电气的胶皮是否有烧焦味、润滑油是否有柴油味等,利用我们的“五官”来管理柴油机。

A.10　舵机修理后的操作与调试

【设备数量】实船1艘、舵机1台。

【培训教师】C。

【培训场地】船上培训(实船)。

【教学组织过程】安排一位教师,每8人一组,每组训练0.5小时。通过训练,学员应能进行电动液压舵机的应急使用和维修后的测试。教师现场操作演示后,学员练习,教师进行指导及纠正。

【训练步骤】先启动舵机,然后进行舵机修理后的操作与调试演示。小组成员轮换进行训练,教师现场检查及纠正。

1. 电液舵机只能单方向转舵

(1)电气远控线路中有一路断路或伺服油缸、控制油缸一侧严重泄漏。

(2)一侧的安全阀或溢流阀开启过低。

(3)一侧的液压控制阀不能打开。

(4)变向变量泵只能单向排油。

2. 电液舵机转舵太慢,动作无力

(1)油泵排量不足。

(2)相应的安全阀、溢流阀调定压力过低。

(3)吸入滤器堵塞。

(4)相关的旁通阀关闭不严。

(5)油路泄漏或阀开度不足。

(6)系统中有大量空气。

3. 电液舵机跑舵

(1)封闭油缸的阀件关闭不严。

(2)系统中有大量空气。

A.11　船舶轴系校中

【设备数量】实船1艘、舵机1台。

【培训教师】D。

【培训场地】船上培训(实船)。

【教学组织过程】安排一位教师,每8人一组,每组训练2小时。通过训练,学员能简述船舶轴系的偏移、曲折值及轴系校中原理。教师现场操作演示后，学员练习，教师进行指导及纠正。

【训练步骤】先进行轴系校中前的准备工作，然后进行轴系校中，最后进行校中数据的检测。小组成员轮换进行训练，教师现场检查及纠正。

1. 轴系校中前的准备工作

(1) 艉轴及螺旋桨根据轴系布置图安装并已交验结束。

(2) 根据本船轴系布置图及主机安装图要求主机及中间轴承已初步定位。

(3) 在中间轴距其法兰端面某处安装临时支撑。

(4) 刮拂中间轴承座上平面的固定垫块，用平板检验接触点，各点应均匀分布。

(5) 调整船舶浮态，在螺旋桨处于 70% 浸没状态下校中。

2. 轴系校中的程序

(1) 根据校中计算书在艉轴的前端法兰处用千斤顶加一外力，通过调整中间轴的临时支撑和主机高度，利用直尺、塞尺(或指针装置)测量艉轴和中轴及中轴和主机端连接处各对法兰偏移量和曲折度，使其满足校中计算书规定的要求。

(2) 轴系校中以后，用连接螺栓把中间轴法兰与艉轴法兰，以及中间轴法兰与主机推力轴法兰连接起来并上紧。

3. 轴系校中数据的检测

轴系排车结束后，进行轴系顶举负荷检验。校中所有数据的检测均应在船舶相同的吃水和大约相同的时间(同一天)进行测量，这点是非常重要的。下列项目必须测量并将数据汇集于一起以判断校中结果是否符合要求。

主机曲轴拐挡差、机座下垂(两侧)、轴颈与轴承顶部间隙、最后两道主机轴承负荷(艉管前轴承和中间轴承)、船舶的首尾吃水。

最佳主机校中为：最后一道轴承(轴颈轴承)负荷比主机倒数第二道轴承负荷要低一些。

A.12　螺旋桨的螺距测量

【设备数量】实船 1 艘、舵机 1 台。

【培训教师】B。

【培训场地】船上培训(实船)。

【教学组织过程】安排一位教师，每 8 人一组，每组训练 0.5 小时。通过训练，学员能正确进行螺旋桨的螺距测量。教师操作演示后，学员练习，教师现场指导及纠正。

【训练步骤】进行旋桨的螺距测量。小组学员轮换进行训练，教师现场检查及纠正。

1. 测量螺距准备工作

(1) 螺旋桨桨毂锥孔和两端面应加工好，至少应予粗加工。

(2) 将螺旋桨压力面朝上平放在平台上或坚实的平地上，用水平尺校正桨毂上端面呈水平状态；也可将螺旋桨放在三只千斤顶上，并用千斤顶调节水平。

(3) 在每个叶片压力面上刷上白粉，并画出各半径线。如无画线工具，则可在桨毂锥孔上部嵌入木块并找出圆心，用一根长木条在其一端钉上钉子当作圆心的支点，另一端装上画针，并垂直叶面用圆规画线。

2. 用螺距板测量螺距

螺距板由铜板（厚 4 ~ 5 mm）及铜条组合而成。铜条一端固定在铜板一角，可绕支点轴转动。在铜条上安装一只水泡玻璃管作水平尺用，在铜板上刻有各角度的 $2\pi\tan\psi$ 函数值。为了清楚地观察刻度线，可将各值交叉射在五条或更多条圆弧线上。刻度线可以用硝酸或硫酸之类的药水腐蚀，也可用描图纸先画好，然后晒成蓝图贴上去。铜条上的水平尺应安装成当铜条转到 0°的水平位置时，水泡在玻璃管中央。其测量步骤如下：

（1）将螺距板下面两只脚放在某半径 R_i 的圆弧线上，并竖直放正。

（2）转动铜条，使其上面水平尺中的水泡处于中央位置，此时记录铜条的上平面对准铜板上的某一读数。

（3）计算半径 R_i 上这一线段的局部螺距（$h = R_i \times$ 读数）。

（4）用同样方法可测量和计算出其他各局部螺距和截面螺距，然后采用与前述（2）同样的方法，即可求得螺旋桨总的平均螺距。

A.13　螺旋桨的静平衡试验

【设备数量】实船 1 艘、舵机 1 台。

【培训教师】B。

【培训场地】船上培训（实船）。

【教学组织过程】安排一位教师，每 8 人一组，每组训练 0.5 小时。通过训练，学员能正确进行螺旋桨的静平衡试验。教师操作演示后，学员练习，教师现场指导及纠正。

【训练步骤】进行螺旋桨的静平衡试验。小组学员轮换进行训练，教师现场检查及纠正。

螺旋桨平衡试验是指对螺旋桨的静力矩和转动惯矩或螺旋桨与轴系、主机整体配合的检查并取得平衡而做的试验。按检查的不同性质，其可分为静平衡试验、动平衡试验、整机平衡试验。一般民用船舶螺旋桨转速低，只做静平衡试验；当桨的轴间宽度与桨径比较大，而转速又高时，则要求做动平衡试验；对振动、声响等限制严格的高速船，以及当轴系计算临界转速小于额定转速而形成挠性轴系的特种船舶螺旋桨，往往要求做整机平衡试验，以检查整个系统转动惯矩与振动频率相配合的噪声情况。动平衡及整机平衡试验在动平衡试验机及特定的台架上进行。由于螺旋桨制造后，金属组织内部常含有杂质气孔，产生材质不均，以及形状尺寸误差造成旋转中不平衡，就使螺旋桨旋转效率下降，产生噪声及振动，且使轴系受力不均，轴与轴承易磨损、疲劳而发生事故。因此螺旋桨都要求做平衡试验。

静平衡试验所用的设备称为静平衡架，其结构较简单。图 A－15 所示为导轨式静平衡架。其主要部分是安装在同一水平面内的两个互相平行的刀口形导轨（也有棱柱形或圆柱形的）。

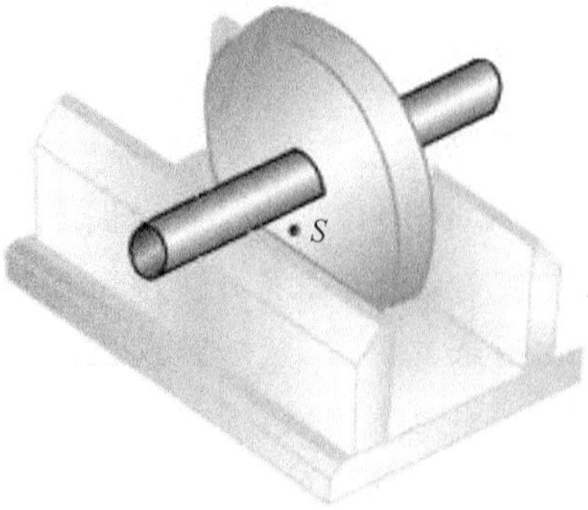

图 A－15　导轨式静平衡架

试验时将回转构件(如几何形状对称的圆盘)的轴颈支承在两导轨上。若构件是静不平衡的,则其在偏心重力的作用下,将在刀口上滚动。当滚动停止后,构件的质心 S 在理论上应位于转轴的铅垂下方,如图 A－16(b)所示。

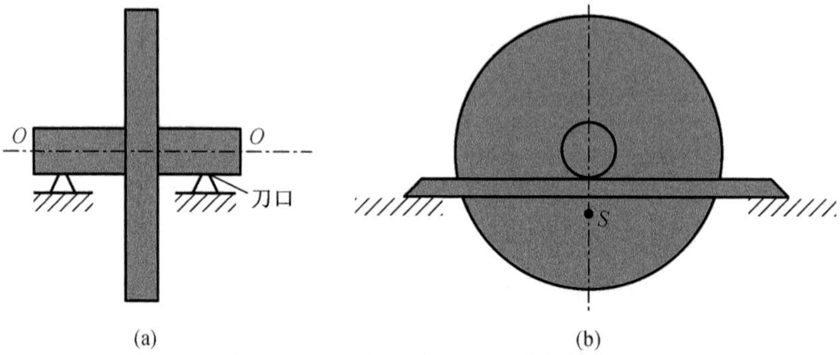

图 A－16　回转构件的质心的偏离

在判定了回转构件质心相对转轴的偏离方向后,在相反方向(正上方)的某个适当位置,取适量的胶泥暂时代替平衡质量粘贴在构件上,重复上述过程。多次调整胶泥的大小或径向位置,反复试验,直到回转构件在任意位置都能保持静止不动,此时所粘贴胶泥的质径积即为应加平衡质量的质径积。最后根据回转构件的具体结构,将按质径积的大小确定的平衡质量固定到构件的相应位置(或在相反方向上去除构件上相应的质量),就能使回转构件达到静平衡。

导轨式静平衡架结构简单、可靠,平衡精度较高,但必须保证两固定的刀口在同一水平面内。当回转构件两端轴颈的直径不相等时,就无法在此种平衡架上进行回转构件的平衡试验了。

如图 A－17 所示,另一种静平衡试验设备为圆盘式静平衡架,即平衡时将回转构件的轴颈支承在两对圆盘上,每个圆盘均可绕自身轴线转动,而且一端的支承高度可以调整,以适应两端轴颈直径不相等的回转构件。

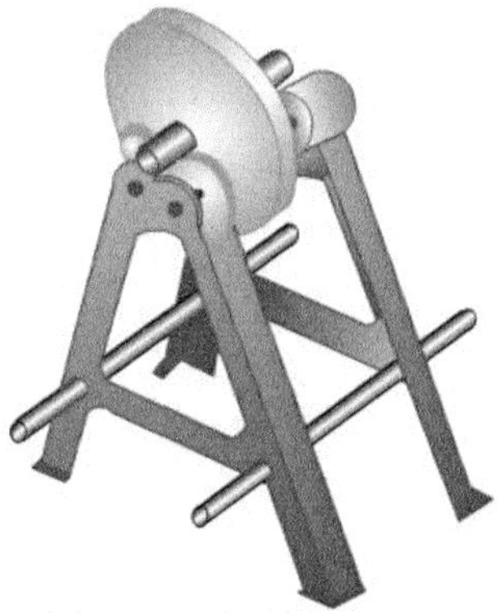

图 A-17　导轨式静平衡架

静平衡的操作过程与上述相同。此种平衡架的使用较为方便,但因轴颈与圆盘间的摩擦阻力较大,故其平衡精度比导轨式的静平衡架要低一些。

A.14　航行中主开关跳闸情况的应急处理及各种跳闸的故障排除

【设备数量】同步发电机 1 台。

【培训教师】B。

【培训场地】轮机实操室。

【教学组织过程】安排一位教师,每 4 人一组,每组训练 0.5 小时。通过训练,学员能够掌握航行中主开关跳闸情况的应急处理及各种跳闸的故障排除。教师现场演示后,学员练习,教员进行指导及纠正。

【训练步骤】教师先对航行中主开关跳闸情况的应急处理及各种跳闸故障的原因分析,然后介绍演示故障排除。学员轮换进行训练,教师现场检查及纠正。

1. 主开关跳闸原因

(1)过载保护。

(2)短路保护。

(3)欠压保护。

(4)逆功保护。

(5)机械自身原因跳闸。常见于:①失压脱扣,发电机并车失败,以及处理器的脱扣钩把持不牢;②失压脱扣器反作用于弹簧拉击电流而使主开关跳闸。

(6)人为操作。

2. 故障排除

(1)电网参数波动太大。并车时,负载将剧烈变化,导致电网负载波动过大;在并车操作时,应避免负载剧烈波动。

(2)操作不当,不满足并车条件。准同步并车时,调整器失灵,使原动机的油门不能随负载在频差、相位差及电压差为零时刻操作,引起冲击电流较大而使并车失败。粗同步并车中,相位工作,如对配电板的螺丝进行一次彻底的紧固,对差大于90°时,虽有电抗器限制电流,但过大的冲击会引起应急发电机的自启动装置开关跳闸。因此,在粗同步并车时,应对自动电压调节器等进行一次检查。

(3)正常航行时,一般为两台发电机并车工作,其中一台机组冷备。若有副机或发电机组故障,启动冷备机组,然后解列故障机组并抢修。

(4)船舶在进出港口、大风浪、狭窄水道航行时,应保持三台机组并网工作,其中一台机组冷备。应尽量保持三台机组同时工作。

A.15　完成同步发电机的并车操作

【设备数量】实船1艘。

【培训教师】C。

【培训场地】实船机舱。

【教学组织过程】安排一位教师,每8人一组,每组训练48分钟。通过训练,学员能够说出同步发电机各类并车方法(包括灯光法、同步表法、电抗器粗同步并车)。教师操作演示后,学员练习,教师现场指导及纠正。

【训练步骤】进行同步发电机的并车操作。学员轮换进行训练,教师现场检查及纠正。

1. 同步发电机并联运行条件

交流同步发电机必须满足下列条件,才能并联运行:

(1)相序一致

待并发电机必须与电网相序一致(检查相序可用相序表)。出厂时,各台发电机的相序都已检查并校对一致,因此实际并车操作时,不必再检查相序。

(2)频率相等

待并发电机的频率应与电网频率相等。实际操作时,允许误差在0.5 Hz以内。

(3)相位相等

待并发电机电压相位应与电网电压相位相同。实际并车操作时,允许待并发电机相位与电网相位相差10°~15°。

(4)电压相等

待并发电机电压与电网电压相等。实际操作时,待并发电机电压与电网电压之差允许在10%以内。

2. 交流同步发电机并联运行操作方法

目前船上实际采用的并联运行操作方法主要有三种,分别为手动准同步法、自动准同步法和粗同步法(电抗同步法)。

(1)手动准同步法

手动准同步法是一种手动调节待并发电机的频率和相位,在满足并联运行条件下,手动合闸进行并车的方法。这是一种最基本的并车方法。

手动准同步法并车操作步骤如下：

①手动调节待并发电机励磁电流，使其端电压与电网电压相同或稍高一点。

②接通整步表或同步指示灯。调节待并发电机转速，使其频率略高于电网频率（要求频差在0.5 Hz以内，即整步表指针顺时针转一圈或同步指示灯明暗一次的时间在2 s以上）。

③当整步表指针即将接近零位（或灯光明暗法接近全暗）时合闸。

④增大刚并上的发电机组油门，同时减少原来电网上发电机组的油门，转移负载，使电网上各发电机组合理分配有功负载。

⑤断开整步表（或同步指示灯）。

这种方法，并车条件要求严格，而且全部过程由手动操作，要求操作者的技术比较熟练。它适合于并联运行操作不频繁的小型船舶电站，或作自动准同步法的备用方法。

(2) 自动准同步法

自动准同步法是指自动为并车装置检测、调节待并发电机的频率、相位（电压可由调压器来保证），是一种满足并联条件时自动合闸的方法。这种方法方便、准确，对电网的冲击小，但设备复杂，维护技术要求高。它适用于并联发电机组数量多、功率大、要求高的船舶电站。自动准同步并车是自动电站的一个重要环节。

(3) 粗同步法

粗同步法是指待并发电机的电压、频率、相位与电网的电压、频率、相位接近时，使待并发电机串联电抗器并入电网，并拉入同步的并车方法。此法由于发电机经过电抗器并入电网，可以大大减小并车时由电压差、频率差及相位差所造成的冲击电流，因而对并车条件的要求可以放宽一些。

粗同步法并车操作步骤如下：

①检查并调整待并发电机的电压、频率，使之接近电网电压及频率；

②接通并车电抗器，使发电机经电抗器并入电网；

③发电机被拉入同步后，合上主开关，同时切断并车电抗器；

④增大刚并上电网发电机的油门，同时减小原电网上发电机组的油门，进行负载转移，使电网上各发电机组合理分配负载，最后断开整步表或同步指示灯。

粗同步法并车的电抗器切除分为手动及自动两种。此种方法由于并车条件要求较低，操作容易，因此很多船舶都采用粗同步法并车。

A.16　完成同步发电机有功功率和无功功率的分配与调节

【设备数量】实船1艘。

【培训教师】C。

【培训场地】实船机舱。

【教学组织过程】安排一位教师，每8人一组，每组训练48分钟。通过训练，学员能够完成同步发电机有功功率和无功功率的分配与调节。教师操作演示后,学员练习,教师现场指导及纠正。

【训练步骤】进行同步发电机并联运行时有功功率和无功功率的分配与调节训练。学员轮换进行训练,教师现场检查及纠正。

1. 同步发电机并联运行时进行有功功率的分配与调节

在增大一台电动机油门的同时,需减小另一台电动机的油门,使发电机输出的总的有功功率保持与负载所需要的有功功率相平衡。否则,若只增大一台发电机的油门,而不减小另一台发电机的油门,将使发电机输出的有功功率大于负载的有功功率,导致发电机加速,从而使电网的频率和电压升高,超出额定值,达到新的平衡,但这一频率和电压值对负载的工作是不利的。

2. 同步发电机并联运行时进行无功功率的分配与调节

在增大一台发电机励磁电流的同时,需减小另一台发电机的励磁电流,保持并联运行发电机总的无功功率与负载所需要的无功功率相平衡。否则,若只增大一台发电机的励磁电流,而不减小另一台发电机的励磁电流,会导致电网电压升高,超出额定值,对负载的工作也是不利的。为了自动、合理地分配无功功率,通常在并联运行的发电机之间采用均压线连接,使发电机的励磁电流自动均衡,一般情况下不需手动调节。在日常维护管理中,要注意保持均压接触器正常工作,触头接触良好。

同容量的两台发电机并联运行时,为了保证负荷的平均分配,要求两台发电机的调速特性一致,否则将导致负荷分配不均,系统运行不稳定,这一现象可以从配电板上两台发电机的功率表、电流表和功率因数表上反映出来。

A.17 完成同步发电机的卸载及停车操作

【设备数量】实船1艘。

【培训教师】C。

【培训场地】实船机舱。

【教学组织过程】安排一位教师,每8人一组,每组训练48分钟。通过训练,学员能够完成同步发电机的卸载及停车操作。教师操作演示后,学员练习,教师现场指导及纠正。

【训练步骤】先进行同步发电机的卸载操作,然后进行停车操作。学员轮换进行训练,教师现场检查及纠正。

同步发电机的卸载及停车操作步骤如下。

(1)停车超过24小时,须打开试动阀,并启动润滑油泵,长久停用(一般为7天)的发电机,应测量确认电机及操作回路的绝缘电阻符合要求。手动盘车转1~2圈,自由启动电机拖动柴油机空转数圈,以排出缸内的油和水,然后关闭试动阀,再合好前离合器。

(2)启动燃油泵,放出管路中的空气,其油压在规定范围内时,方可正式启动。

(3)查看启动电源的电压是否正常后,按下“启动”按钮,待柴油机着火后即松开。润滑油压力升到规定值以上时,停止启动滑油泵,并关闭扫气泵排污阀,穿好前离合器销钉。

(4) 不能启动时,应认真判明原因,原因不明的不应再次启动。连续启动不应超过3 次,间隔时间不应少于2 分钟。第三次仍不能启动时,应认真检查分析,确认排除故障后,方允许第四次启动。

(5) 发电机启动后,即认为发电机及全部电气设备均已带电,严禁人体接触带电部分,如果需要带电作业,应遵守危险作业审批制度和电工安全操作规程。

(6) 在调整柴油机转速时,应注意发电机运转是否正常,滑环及整流子上的碳刷应无跳动,无冒火花现象,无异常声响,此外还要与电工配合。调整频率和电压,使之接近额定值。

(7) 当接到“准备并列”的信号后,发电机运转必须是正常、平稳的;并且只有当频率、电压相等,相位相同,相序一致时方能进行并列工作。并列时,以同步表为准,进一步调整转速,调节励磁。将电压和频率升至与系统电压、频率相接近。当自动励磁损坏改为手动时,其负载不宜过大,并随时监测有关工作参数。

发电机并列同步操作步骤如下:

①合上发电机出线的刀开关;

②若是三相四线制供电的发电机,应合上中性点接地刀闸;

③合上同步指示开关,检验相序,进一步调节;

④认真查看同步指示器信号,若基本同步,立即迅速合上主开关,向系统送电。并列时采用自动准同期装置时,应参看说明书进行。采用手动准同期并列操作时,若发现同步表跳动(或不动),同步指示灯闪烁无规则(或亮度不变),不准合闸并列。

(8) 正常运行中,严禁使用故障停车开关或按钮,严禁擦拭机组,如发现柴油机的超速保险装置脱开,应通知电工卸除负荷,停车后,将超速保险恢复原位,然后再启动。

(9) 密切注意各种运行仪表、保护装置、绝缘监视和调速器的工作情况。

(10) 对于用压缩空气启动的气罐,应检查试验压力表和安全阀是否保持灵敏可靠。

A.18　发电机不能建立电压的故障排除

【设备数量】同步发电机1 台。

【培训教师】C。

【培训场地】轮机实操室

【教学组织过程】安排一位教师,每8 人一组,每组训练48 分钟。通过训练,学员能够解决发电机失压和无电压的故障。教师操作演示后,学员练习,教师现场指导及纠正。

【训练步骤】先进行发电机不能建立电压故障原因分析,后进行故障排除。学员轮换进行训练,教师现场检查及纠正。

1. 评判要素

(1) 电源线路有断线处,定子绕组有中断处。

(2) 切断电源后检查熔断器及开关接头和接线处是否有中断或松脱现象,并接好;切断电源后用万用表检查每相绕组是否有断线,并接好。

2. 评判标准

(1)操作及叙述准确、熟练或比较熟练为合格。

(2)操作及叙述较差或差为不合格。

A.19 排除电网常见故障

【设备数量】同步发电机1台。

【培训教师】C。

【培训场地】轮机实操室。

【教学组织过程】安排一位教师,每8人一组,每组训练48分钟。通过训练,学员能够分析同步发电机的短路、过载、欠压和逆功率保护现象。教师操作演示后,学员练习,教师现场指导及纠正。

【训练步骤】先进行电网常见故障原因分析,后进行故障排除。学员轮换进行训练,教师现场检查及纠正。

1. 电动机运行时,启动控制箱内有蜂鸣声

(1)紧固铁芯与可动系统螺栓未紧好。

(2)短路环脱落或损坏。

(3)动、静铁芯极面有脏污或结合不紧密。

(4)可动系统动作不灵活等。

2. 发电机转速已达额定值,但不能建立起电压

(1)发电机无剩磁或剩磁太小。

(2)剩磁电压与调压器输出的励磁电压极性相反。

(3)调压器连线断开。

(4)谐振电容器短路。

(5)移相电抗器无气隙或气隙太小。

(6)励磁绕组断路。

(7)集电环不导电。

(8)整流元件被击穿。

3. 磁力启动箱启动的异步电动机不能启动

(1)开关损坏。

(2)熔断丝熔断。

(3)接触器线圈损坏,主触头接触不良。

(4)热继电器调定值低、损坏。

(5)线路断路。

(6)按钮损坏。

(7)控制系统故障。

A.20　锚机控制常见故障的排除并能测量电磁制动器的间隙

【设备数量】船舶锚机1台。

【培训教师】D。

【培训场地】船上培训。

【教学组织过程】安排一位教师，每4人一组，每组训练1小时。通过训练，学员能够分析和解决控制电器的故障及分析锚机控制线路，能够测量电磁制动器的间隙。教师操作演示后，学员练习，教员进行指导及纠正。

【训练步骤】先进行故障的排除训练，然后进行磁制动器的间隙测量训练。小组成员轮换进行训练，教师现场检查及纠正。

1. 锚机控制常见故障的排除

(1)无法抛锚和起锚

可能原因：

①交流电源未接通(电路中DAK或LK未接通)；

②熔断器1RD、2RD烧坏，控制电路无电源；

③电磁刹车部分有故障，无法松开；

④主令控制器失控(主令控制器的LK1无法正常接通)；

⑤零压电压继电器LYJ不能正常工作(热继电器1EJ、2EJ动作)，或LYJ本身有故障，LYJ的控制电路部分有断路。

(2)电磁刹车部分无法松开

可能原因：

①变压器B有故障，内部一次或二次线圈有短路或断路，可检查变压器B的二次侧有否电压输出；

②整流电路ZL1有故障，检查整流电路中的二极管有否断路或短路；

③熔断器3RD、4RD烧坏，无直流输出；

④主令控制器的LK7无法正常接通，造成无直流输出；

⑤电阻R3断路；

⑥制动器线圈断路、短路或接地。

(3)能抛锚而不能收锚或相反

可能原因：

①接触器ZC或NC断路或短路；

②主触头接触不良；

③主令控制器的U接触不良。

故障现象：

①只有低速而无中、高速，原因是主令控制器中的U接触不良。

②轻载上不了高速，原因主要是过流继电器GLJ调整不当，未过载就动作；或者时间继电器2sJ调整不当，致使当进入高速时，中间继电器0J未经延时而立即断电，换挡的冲击电流使GLJ动作。

(4)刹车皮磨损超标

刹车皮最大磨损量超过初始厚度的30%时应换新。刹车皮紧固沉头螺栓松动，说明螺栓头已被磨掉，应换新。

(5)刹车毂表面锈蚀

锈蚀会造成刹车毂表面凹凸不平，刹车皮与刹车毂接触面积减小，最终使刹车力矩减小。

(6)刹车杆锈蚀或螺牙损坏

定期检查刹车杆所有螺牙情况(包括螺帽内螺牙好坏)，并涂牛油保护，如刹车螺杆锈蚀，易造成单人操作刹车机构时无法将刹车带收紧。

(7)刹车杆螺牙余量不足

没有余量，就刹不下去。某些类型的刹车机构，调整螺杆失效也会造成刹车杆螺牙余量变化，应特别留意。

(8)锚机离合器该分开时需分开

离合器分开后，操纵手柄的安全销没有插上，造成分开不彻底。放锚链时，锚链轮可能会通过离合器带动油马达转动，造成油马达损坏。

(9)油中杂质多，造成液压系统内漏

油路上的安全阀泄漏、操纵阀内漏、油马达内漏、油泵压力不足等会造成绞锚无力，达不到正常(不小于9 m/min)的起锚速度。

(10)锚链磨损

一是锚链锈蚀超过12%(以最细部位直径的平均值计算)；二是转环过度磨损；三是锚链肯特卸扣、D型卸扣、锚卸扣的铅封脱落，造成内部安全销脱出，严重时锚链脱节。需防止锚链及锚丢失。

(11)油马达操纵杆停用时不在中位

停用锚机或绞缆机时，在操纵杆回中后应将限位搭块搭上。

2. 电磁制动器间隙的测量

(1)首先应测量间隙，用塞尺通过电动机制动器吊孔测量，根据测量结果做相应调整。

(2)制动圆盘与电磁铁铁芯的间隙是通过强制释放螺丝进行调节的。往里紧减小间隙(减小摩擦力)；往外松增大间隙，增大摩擦力。

(3)后端盖的间隙调整通过改变后端盖与电机外壳间垫片厚度来实现。

(4)适当的间隙为0.6~2 mm，但应以起货机起吊额定负荷时既能刹车而制动器又不冒烟为准。

图A-18所示为电磁制动器结构图。

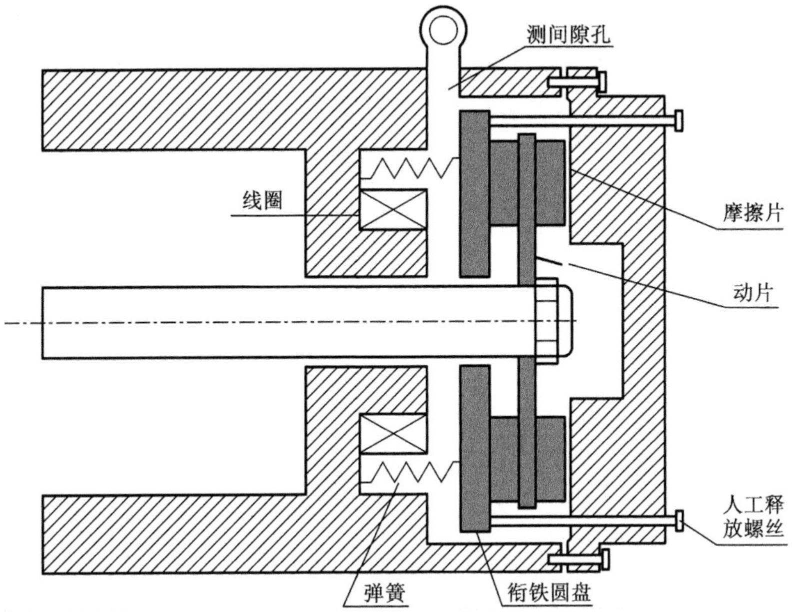

图 A－18　电磁制动器结构图

A.21　双位控制调节操作

【设备数量】实船 1 艘(机舱、机舱监控室、驾驶台)。

【培训教师】C。

【培训场地】在船上训练。

【教学组织过程】安排一位教师,每 8 人一组,每组训练 0.5 小时。通过训练,学员能够解决双位调节控制的故障;能够说出常用传感器的种类与作用。教师现场操作演示后,学员练习,教师进行指导及纠正。

【训练步骤】先进行安全教育,再进行双位控制调节操作。学员轮换进行训练,教师现场检查及纠正。

根据分组,安排学员分别在双位控制处,根据教师的要求进行调节操作。

实际的双位控制,当被控变量在中间区时,调节器输出状态不变化,调节机构不动作。当偏差上升至高于设定的某一数值后,调节器输出状态才变化,调节机构才开;当偏差下降至低于设定的某一数值后,调节器输出状态继续变化,调节机构才关。这样,调节机构开关的频繁程度便大为降低,减少了器件的损坏。

实际双位调节器中间区称为呆滞区,所谓呆滞区是指不致引起调节器输出状态改变的被控变量对设定值的偏差区间。换句话说,如果被控变量对设定值的偏差不超出呆滞区,调节器的输出状态将保持不变。

双位控制过程中不采用对连续控制作用下的衰减振荡过程所提的那些品质指标,一般采用振幅与周期作为品质指标。

如果工艺生产允许被控变量在一个较大的范围内波动,调节器呆滞区就可以放宽些,这样振荡周期较长,使可动部件动作的次数减少,于是减少了磨损,也就减少了维修工作量,因而只要被控变量波动的上、下限在允许范围内,周期长些也可以。

A.22 根据机舱布置图安排机舱巡回检查路线

【设备数量】实船 1 艘。

【培训教师】D。

【培训场地】在船上训练(机舱)。

【教学组织过程】安排一位教师,一人一组,每组训练 1 小时。通过训练,学员能够按照值班规则的要求,监督和指导轮机值班,遵守安全值班相关规定和要求。教师操作演示后,学员练习,教师现场指导及纠正。

【训练步骤】先进行安全教育,然后进行根据机舱布置图安排机舱巡回检查路线的练习。学员轮换进行训练,教师现场检查及纠正。

1. 巡回周期

航行:接班时一次;值班中每小时一次,轮机员和机工交替进行;电机员每日两次,其中白天一次,22 时一次;轮机长每日两次,其中白天一次,22 时一次。

停泊:机工每时一次。卸油期间还要对货油泵进行检查。轮机员每日两次,其中白天一次,22 时后一次。卸油期间还要对货油泵巡视两次。

2. 巡回检查方法

注意观察压力、温度、液位、绝缘、电压、电流、频率等仪表参数,还要对运转设备通过看、摸、听、嗅进行细致检查,及时调整和处理。发现问题,当值者无能力处理时,必须及时报告当值轮机员或轮机长。

3. 一般巡回检查路线

航行:①废气炉层→②锅炉顶层→③空调机房→④舵机房→⑤冰机房→⑥主机缸头层→⑦机舱底层→⑧集控室。

停泊:①锅炉顶层→②空调机房→③冰机房→④泵房(卸油时)→⑤主机缸头层→⑥机舱底层(主机除外)。

4. 其他巡回检查路线

第一站:后甲板层,观测烟囱烟色是否正常,晚上查看是否冒火星,观测机舱风机运转状态,风机吸口门是否打开(常开),烟囱门是否关闭(常闭)。

第二站:从后绞缆机层进入机舱顶层,查看焚烧炉运行状况;检查主、副机膨胀水箱水位,保持四分之三;检查各阀位置是否正常;检查焚烧炉油位、温度是否正常,相关阀门及管线是否有泄漏。

第三站:机舱顶层出来至舵机间走道,检查舵机是否运行正常,油泵油压、油位是否正常,管路是否有泄漏;检查液压绞缆机运行状况,油温、油压、油位是否正常;检查水雾灭火装置各阀门是否正常;出舵机间,检查速闭阀空气压力是否在正常位 0.7 MPa;检查空调间空调运行情况,液位是否正常,水压、高低压及油位否正常,以及空调进出口温度是否正常;检查冰机运行情况,油压、高低压、水压是否正常;检查冷库温度情况。

第四站:进入更衣室换装到机舱上层,检查废气锅炉、主锅炉水位、冲洗水位表及控制面板各泵的开关状况。检查艉轴高置油箱油位在五分之四位置。

A.23　柴油机运行中滑油温度、压力异常现象分析和应急处理步骤

【设备数量】可运行柴油机 1 台。

【培训教师】B(C)。

【培训场地】轮机实操室。

【教学组织过程】安排一位教师,每 8 人一组,每组训练 0.5 小时。通过训练,学员能够分析柴油机运行中滑油温度、压力异常现象,以及简述应急处理步骤。教师操作演示后,学员练习,教师现场指导及纠正。

【训练步骤】先进行安全教育以及柴油机运行中滑油温度、压力异常现象分析,然后进行柴油机运行中冷却水温度过高原因分析和应急处理步骤的训练。学员轮换进行训练,教师现场检查及纠正。

1. 船舶柴油主机滑油温度过高

(1) 可能原因

①滑油量不足。

②调温器损坏。

③冷却器冷却不良。

④柴油机超负荷。

⑤柴油机运动部件故障。

⑥滑油泵损坏。

⑦管路堵塞。

⑧温度计损坏。

(2) 处理方法

①适当减轻柴油机运行的负荷。

②加强柴油机的冷却。

③更换损坏油泵。

④保证循环油路的畅通。

⑤维修或更换损坏的零件。

2. 船舶柴油主机滑油压力低或失压

(1) 可能原因

①滑油量不足。

②滑油泵损坏。

③滑油内漏严重。

④滑油滤器等堵塞。

⑤调压器损坏。

(2)处理方法

当船舶主机出现滑油低压故障后,必须立即处理,在船舶安全的前提下最好立即停车检查并予以排除,确保柴油机的安全运转和船舶的正常航行。

由于该轮故障发生时船舶处于航道中,来往船舶较多,不具备立即停车的条件,加之并未完全断流,应立即启动备用滑油泵,使滑油压力得以恢复,以维持柴油机的运转和船舶的航行。

A.24 柴油机运行中冷却水温度过高原因分析和应急处理步骤

【设备数量】可运行柴油机1台。

【培训教师】B(C)。

【培训场地】轮机实操室。

【教学组织过程】安排一位教师,每8人一组,每组训练0.5小时。通过训练,学员能够分析柴油机运行中冷却水温度过高的原因,以及简述应急处理步骤。教师操作演示后,学员练习,教师现场指导及纠正。

【训练步骤】先进行安全教育,然后进行柴油机运行中冷却水温度过高原因分析和应急处理步骤的训练。学员轮换进行训练,教师现场检查及纠正。

1. 水温过高的原因

(1)管路或冷却器堵塞,循环水量减少。

(2)系统内的水垢过厚。

(3)温度调压器失灵。

(4)柴油机负荷过重或供油时间过迟。

(5)气缸积炭过多、负荷过重。

(6)缸套或缸盖有裂纹、气缸垫片损坏、燃气冲入冷却系统中。

(7)柴油机出现拉缸、敲缸现象。

2. 柴油机冷却水温度过高的处理方法

(1)适当减轻柴油机负荷。

(2)加强柴油机的冷却。

(3)调整雾化部件的雾化质量。

(4)更换损坏的部件。

A.25　柴油机运行中敲缸原因分析和应急处理步骤

【设备数量】可运行柴油机 1 台。

【培训教师】B(C)。

【培训场地】轮机实操室。

【教学组织过程】安排一位教师,每 8 人一组,每组训练 0.5 小时。通过训练,学员能够简述柴油机敲缸的原因和应急处理措施。教师操作演示后,学员练习,教师现场指导及纠正。

【训练步骤】先进行安全教育,然后进行柴油机运行中敲缸原因判断,以及应急处理步骤的处理训练。学员轮换进行训练,教师现场检查及纠正。

1. 可能原因

柴油机敲缸通常有燃烧敲缸和机械敲缸两种。

(1)燃烧敲缸

燃烧敲缸的主要原因是压力升高太快,或者最高爆发压力过高。具体如下:

①喷油器供油提前角过大;

②喷油器启阀压力调得过低;

③喷油器的喷嘴针阀卡在开启位置;

④喷油器弹簧断裂或松动;

⑤供油量过大,超负荷运转;

⑥所用燃油燃烧性能差,易发生爆燃。

(2)机械敲缸

机械敲缸大多与运动部件中心线不正、轴承间隙过大、紧固螺栓松动、气缸摩擦等因素有关。

2. 处理方法

(1)在柴油机运行过程中,发现敲缸首先应采取降速运行的措施,避免机件损坏。如果判定为燃烧敲缸,停车后进行如下检修:

①喷油器进行试压和调整,必要时换新;

②检查喷油泵的供油量,必要时调整其有效行程;

③若条件允许,检查和调整喷油定时。

(2)如果确认是机械敲缸,则须对有关部件进行调整、紧固、修理和更换。

在航行条件不允许停车或无法修复时,可采用封缸运行或降速航行的方法,及时向船东报告,在适当时机尽快修复。

A.26　柴油机紧急停车操作步骤

【设备数量】可运行柴油机 1 台。

【培训教师】B(C)。

【培训场地】轮机实操室。

【教学组织过程】安排一位教师，每8人一组，每组训练0.5小时。通过训练，学员能够简述柴油机紧急停车的操作步骤、主机应急机旁操纵要求。教师操作演示后，学员练习，教师现场指导及纠正。

【训练步骤】先进行安全教育，然后进行柴油机紧急停车操作步骤的处理训练。学员轮换进行训练，教师现场检查及纠正。

紧急停车是指船舶航行中遇到避碰等紧急情况时，为使船舶尽快停止运动或改为倒航而对主机进行制动并迅速倒转的操纵过程。

1. 紧急停车操作

(1)根据驾驶台车令(一般是由“前进三”直接到“后退三”)，立即将车钟手柄拉至相应位置。通过换向机构使凸轮轴、空气分配器换向。

(2)将燃油手柄置于启动油量位置。

(3)当换向机构的换向动作完成之后(转速通常可下降60% ~70%)，迅速拉动启动手柄。启动空气按倒车正时进入正车运转的气缸(即正在压缩的气缸)，对正转的主机起制动作用。

2. 能耗制动

在制动初期，活塞上行将启动空气压入启动空气总管，相当于空压机消耗掉柴油机正转的能量。在压缩空气作用下，主机被强制停止转动，并在持续的压缩空气作用下开始反转。在主机倒转之后，按驾驶台车令适当调节供油量。

3. 紧急刹车的注意事项

(1)保证压缩空气的压力，否则刹车过程很难有效进行。

(2)为了保证倒车启动成功，可适当调大启动油量。

(3)当主机和船舶在较高航速下刹车时，进行一次操作可能无法使主机刹车成功，可采取几次间断刹车的操作方式。

(4)不可过早拉动启动调油手柄，以免发生意外。

(5)操作中应避免突然将油门加得过大，以防超负荷。

(6)紧急刹车操作的时机十分重要。

(7)对采用遥控系统的主机，在其换向程序中大多具有紧急刹车功能。需注意压缩空气压力，当遥控系统本身发生故障时，应及时转换为集控室直接操作。

A.27 组织船舶搁浅、碰撞、污染和机舱进水、灭火、舵机失灵演习

【设备数量】实船1艘。

【培训教师】A(C)。

【培训场地】船上培训(实船)。

【教学组织过程】安排一位教师，每8人一组，每组训练4小时。通过训练，学员能够掌

握船舶搁浅、碰撞、污染和机舱进水、灭火、舵机失灵的应急处理。教师统一布置后，学员练习，教师进行指导及纠正。

【训练步骤】先进行安全教育，然后对船舶搁浅、碰撞、污染和机舱进水、灭火、舵机失灵进行演习。每组学员轮换进行训练，教师现场检查及纠正。

1. 船舶污染的应急处理

(1)船舶污染事故的报告程序

①立即发出警报并报告驾驶台。

②由驾驶台向海事部门报告。

(2)采取防止污染扩大的应急应变措施

①停泵，打开或关闭相关阀门，调驳舱柜存油，封堵溢油口。

②采用相关围油栏设备，将溢油控制在较小的范围内，阻止扩散和漂移。

③采用吸油毯等吸油材料吸附水面残油。

④当船舶发生事故有沉没危险时，弃船前应当尽可能关闭所有货舱、油柜、管系阀门，堵塞透气孔。

(3)化学消油剂的使用

若需要使用化学消油剂，应采用符合国家标准的品牌并报海事部门批准。

(4)记录

事故情况应记入轮机日志。

2. 机舱失火的应急处理

(1)机舱失火的应急程序

①立即报告驾驶台(警报信号:乱钟一分钟后4长声)。

②根据火情大小，判断应采取的扑救措施，使用相应灭火器材进行扑救，力争将火灾扑灭在初始阶段。

③搬开易燃物品，视情切断附近油路、电路。

④启动消防泵(或应急消防泵)，用水枪保护消防人员和对舱壁、油柜、空气瓶等进行冷却。

⑤灭火时应尽可能维持主、副机的正常运转。

⑥用水灭火时要注意机舱排水。

⑦若火势太大不能控制，则进行封舱灭火。

(2)封舱灭火的注意事项

①启动前发出警报，通知所有人员撤离机舱，并清点人数，确定所有人员已撤出机舱。

②停止主辅机运行，关闭机舱所有门窗和通风装置。

③火灾扑灭后，继续封舱一段时间，仔细检查火场附近的情况，防止复燃。

3. 机舱进水的应急处理

(1)机舱进水的报告

①值班人员报告驾驶台(警报信号:二长一短)。

②由驾驶台向海事部门报告。

(2)机舱进水的应急措施

①所有人员按应变部署各负其责。

②根据现场情况组织堵漏(关闭相应的阀门,选用有效的堵漏器材,关闭相关水密门窗及通风口等)。

③启动一切能用于排水的设备进行排水。

④维持主副机正常运转,尽可能保持自救的动力和时间。

(3)机舱进水抢救无效的应急措施

①若进水严重,情况紧急,船长应请求第三方援助,条件允许的话,择地抢滩。若船长确认堵漏无效,船舶面临沉没时,其有权宣布弃船。

②收到弃船命令后,轮机长按应急部署组织机舱人员关停机电设备、封闭油舱柜等。

③轮机长最后离开机舱,并携带轮机日志、车钟记录和重要文件等到指定地点集合待命。

(4)事故过后的报告

事后,船长向海事部门再次报告结果。

4. 舵机失灵的应急处理

舵机失灵的主要原因如下:

①船舶失电导致舵机无法正常工作;

②液压动力系统故障导致舵机无法正常工作;

③轴承故障导致舵机无法正常转动;

④船舶擦底或搁浅等导致舵机、舵叶损坏故障。

舵机失灵的应对方法如下:

(1)一般应急措施

①航行中若发现舵机失灵,驾驶台应先转换为辅助操舵系统,并通知船长和机舱值班人员。

②机舱值班人员立即启动辅助或应急操舵装置,同时通知轮机长。

③轮机长迅速赶到舵机房,组织机舱人员进行相应的操作和抢修。

④船长到驾驶台,按照舵机的损坏情况指挥船舶的应急操纵。

(2)舵机因控制系统故障而失灵时采取的应急措施

舵机的控制系统故障,是指驾驶台不能有效地通过主、辅操舵装置操纵舵机的紧急状态。此时应采取如下应急措施:

①在舵机应急操纵过程中,值班轮机员不能远离操纵台,按车令操纵主机,执行船长和轮机长的命令。

②船长应安排一名驾驶员和水手到舵机房,负责接听驾驶台的舵令,配合轮机员操纵舵机。

③轮机员应指导值班水手操舵,尽快使其能独立操作应急操舵装置。

④机舱人员应加强轮机值班,尽全力抢修驾驶室主、辅操舵装置,使其尽快恢复功能。

⑤向公司汇报驾驶室主、辅操舵装置失灵的经过,并请求驶向最近海岸有能力修复主、辅操舵装置的有关港口进行修复。

⑥轮机长做详细的事故报告,内容包括发生故障的时间、海况、地点、原因、抢修经过和采取的措施及可能需要的支援。

(3)舵机因电源故障而失灵时采取的应急措施

船长应上驾驶台亲自指挥,并召集甲板部人员采取应急措施。

①若船舶在海上航行,则:

a. 值班驾驶员应按《国际信号规则》和《国际海上避碰规则》规定显示号灯、号型。

b. 加强瞭望,并用 VHF 发布通告。

c. 可利用主机操纵船舶安全离开航线,若水深合适,应随时准备抛锚。

d. 应换用任何备用转舵装置。

②若船舶正在进出港或狭水道航行,则:

a. 应立即备锚,尽快选择合适地点抛锚。

b. 应按《国际信号规则》和《国际海上避碰规则》显示号灯、号型。

c. 要加强瞭望,并用 VHF 发布通告,提醒来往船只注意安全。

d. 必要时要求港方派拖船协助拖航。

如果轮机部自行抢修困难或无效时,轮机长应立即报告船长,说明舵机失灵的原因、已经进行的抢修措施、需提供的支援和准备进一步采取的措施。

5. 船舶碰撞的应急处理

(1)轮机长下机舱。

(2)备足空气,检查设备。

(3)检查各舱室是否有漏处。

(4)启动备用发电机。

(5)如漏水应进行应急排水。

(6)不同的舱室采用不同的应急措施。

(7)必要时备好救生艇。

(8)抢救工作做到最后一刻。

6. 船舶搁浅的应急处理

(1)海底门转高位。

(2)检查舱底水,经常测量油舱。

(3)检查主机、轴系,确认后方可通知驾驶台用车。

(4)脱险中防主机超负荷。

(5)设备运转中检查运行设备。

(6)观察水面有无油花。

(7)检查船舶吃水,按船长指示调整吃水,防止主机飞车。

(8)脱险后将抢险情况记入轮机日志等相关记录。

A.28　燃油加装及测量模拟训练

【设备数量】实船 1 艘。

【培训教师】D(B)。

【培训场地】船上培训(实船)。

【教学组织过程】安排一位教师,每 8 人一组,每组训练 1 小时,其中燃油加装训练 0.6

小时，测量 0.4 小时。通过训练，学员能够掌握燃油加装及测量。教师操作演示后，学员练习，教师进行指导及纠正。

【训练步骤】先进行燃油加装前的准备工作，然后进行燃油加装训练，再进行测量训练。每组学员轮换进行训练，教师现场检查及纠正。

1. 燃油加装前的准备工作

(1) 轮机员应根据船舶的燃油存量和航次安排，提前制订燃油加装计划，提交轮机长批准。制订加装计划时，应考虑抵港吃水差的情况，油舱的最大加装量不得超过 85% ~90%。

(2) 加装燃油前，轮机员应尽可能地将同一规格的燃油并舱。应准确测量各油舱的存油量，并报告轮机长，轮机长和轮机员应提前与大副商定需加油的油舱和加装数量。

(3) 轮机员在加油前要检查加油管路上各种阀门、滤器的情况，确保管路上的各种阀门处于正确的位置。同时还应检查另外一舷加油管上的盲板和阀门是否完好和关闭。

(4) 船长要提前通知值班驾驶员关注油船动态，及时通知轮机长，并做好安全防护措施。白天悬挂信号旗，夜间应开桅顶信号灯。

(5) 轮机长提前通知大副安排木匠堵塞甲板的流水孔，开启受油舱的透气孔，堵好集油槽放残孔。油舱透气管下无集油器具的，应放置集油器具。

(6) 轮机员应根据燃油加装计划，制订出各油舱燃油加装量和测深量的表格，并向负责测油的人员详细说明，使他们熟悉加油系统的测深管（或测深指示器）、空气管、透气管、溢油柜的位置和加油计划的详细过程。

(7) 加油前，应在加油现场悬挂“船用油移油操作程序”和“禁止吸烟”告示牌，所有人员应按照“船舶溢油应变部署表”中的分工，备妥消防和防污染器材。加油开始后应启动“船舶溢油程序”，一旦发生溢油事故，立即按照“船上油污应急计划”中的步骤要求，迅速采取措施，控制溢油的扩散，回收清除溢油。

(8) 轮机长和轮机员要提前与供油方核对供油规格、数量，并与供油方共同测量加油船各个油舱的燃油存量和燃油温度。注意用试水膏检查加油船上的油中是否含水。

(9) 轮机长、轮机员与供油方事先商定：

①最大加油速度；

②加油的先后顺序；

③加油过程中供油泵的起、停联系信号，喊停责任权、责任方；

(10) 在双方确认后，相互在对方提交的确认书上签字。

2. 燃油加装训练

(1) 供油方在接装供油管时，负责巡视的人员要督促其接装紧密牢固，以防渗漏。

(2) 在轮机员检查确认加油舱管路的阀门已正确开启后，由负责联络的人员通知供油船开始供油。在供油初期，应通知供油方以较低的供油速度供油。

(3) 开始加装后几分钟内，负责测量的人员即应检查受油舱，通过倾听该油舱加油管路的流油声，检查该油舱透气管的情况，或通过测量确认油已经加入指定的油舱后，通过负责联络的人员通知供油方以正常速度供油。

(4) 在整个加油过程中，要做到心中有数，及时测量，注意加油引起的船舶倾斜对测量所造成的影响，注意油面首先封住透气管而引起跑油现象的发生，注意装油速度是否合适，必要时与供有方联系调整。当受油舱的油量已经达到总舱容的75%时，应打开下一个受油舱的进口阀；最后一个受油舱的油量接近80%时，应通知供油方降低供油速度，要考虑测深管中油位的变化滞后于油舱中的实际油位（在环境温度较低时，这种现象更为明显）。

（5）倒换加油舱的进口阀时，应在全部打开下一个油舱的进口阀后，再关闭正在加油的油舱的进口阀，次序不得颠倒。

（6）在寒冷的天气加装燃油时，应提前对受油舱进行加温，防止燃油加进油舱后，流动性降低而影响测量，甚至导致跑油。

（7）加装的过程中，要与供油方一起提取油样，当场铅封并双方签字。一瓶交供油方，一瓶留船至少保存至该油品完全用完为止。

3. 加装完毕后的工作

（1）待本船受油舱中的油位稳定后，确认加油管已扫净残油，且打开验油阀无残油滴漏，在征得轮机长的同意后，方能拆除加油管，关闭加油总管的截止阀。

（2）关闭、封好所有的阀门和盲板，清除集油槽中和滴落在甲板上的污油。轮机员要准确测量本船各油舱的油位，经过温度等因素的修正后，计算出实际的受油量。轮机长、轮机员与供油方一起测量供油驳船上所有的油舱，核对无误，确认供油量后轮机长在加油收据上签字。如双方对受油数量发生争议，轮机长应与供油商交涉并报告船长，在加油单据上注明实际受油量，并注明存在争议。事后轮机长应及时针对争议的起因过程和处理情况，写出详细的书面报告上报公司。

（3）轮机长将加装的时间、地点和数量等情况详细记录在油类记录簿上。

（4）通知船长和当班驾驶员，加油工作结束，降下信号旗或关闭信号灯，同时打开甲板流水孔等。

A.29　机舱情景模拟训练

【设备数量】实船1艘。

【培训教师】B（A）。

【培训场地】船上培训。

【教学组织过程】安排一位教师，每8人一组，每组训练1小时。通过训练，学员能够简述船上人员管理规章制度和管理流程；具有良好的团队组织、协调、决策、指挥能力，能够应对各种紧急情况。教师操作演示后，学员练习，教师进行指导及纠正。

【训练步骤】设置各种机舱情景，对机舱值班、机舱检查、人员管理、机舱工作注意事项等进行训练。每组学员轮换进行训练，教师现场检查及纠正。

1. 出港航行命令下达后，应做好机舱监督检查工作

（1）调整主机、副机燃油系统及轴承润滑和冷却所需油、水及其压力、温度，整定主机负荷和转速达到正常工况（应按使用说明书或船内制订的常用数据执行）。

（2）调整废气锅炉气压、给水及循环水系统。

（3）调整扫气压力和温度。

(4)调整锅炉冷凝器循环水,使真空及温度达到所需要的度数,检查废气及回水是否回到炉水预热器及冷凝器。

(5)对燃油锅炉的油温、油压、风压和燃烧情况加以检查或调整,以便靠港后正常使用。

2.航行职责和交接班注意事项

(1)值班轮机员是轮机长的代表,负责贯彻执行轮机长有关机械管理的批示,领导督促机舱所有值班人员,坚守岗位,集中精力,确保安全。

(2)航行值班时间规定:

大管轮04:00—08:00,16:00—20:00;

二管轮00:00—04:00,12:00—16:00;

三管轮08:00—12:00,20:00—24:00。

3.值班轮机员职责

(1)根据驾驶台的命令迅速、准确地操纵主机,填写轮机日志和车钟记录簿。

(2)按照轮机长的批示和设备说明书的规定和要求,使机电设备保持在额定的工作参数范围内,保持油水分离器和各种滤器处于良好的使用状态;注意观察废气锅炉工作情况是否正常。

(3)维护机舱、轴系及各种设备的清洁;按时巡回检查,仔细观察、倾听机电设备、轴系的运转情况,并记录主机滑油、燃油、冷却水、排气温度等参数,如发现异常应立即设法排除。如不能解决,应立即报告轮机长。

(4)如果主机故障必须停车进行检修,应征得驾驶台同意并立即报告轮机长。

(5)如情况危急,将造成严重机损或人身事故时,可先停车,同时报告驾驶台和轮机长,并将详细情况记入轮机日志。

(6)在恶劣天气下航行时,为防止主机飞车和超负荷而需要降低主机转速时,应取得轮机长同意并通知驾驶台。

(7)根据设备运转需要,随时进行驳油、净油、造水、充压缩空气等工作;保持日用油柜、水柜有足够数量的储备。除日用油柜驳注外,移驳燃油应事先与大副联系。

(8)根据甲板部通知,领导值班人员移注排灌压载水或移注油、水;供应或停供所需的水、电、气和汽,认真遵守防污染的有关规定。

(9)注意防火检查,随时清洁油污,正确处理油污破布、棉纱头等易燃物。

(10)船舶发生紧急事故时,按"船舶应急须知"相关预案和应变部署表分工积极参加抢险工作。

(11)大管轮值班人员进晚餐时由三管轮值班人员下机舱替换,时间不超过半小时。

(12)执行船长、轮机长指派的其他工作。

4.值班轮机员、机工的交接班

接班轮机员和机工应提前15分钟下机舱巡回检查。在接班前,接班轮机员至少应掌握下列情况:

(1)轮机长有关船舶的系统和机器工作的命令及特别指示。

(2)正在进行的对有关机器和系统的检修工作内容、参与人员及潜在危险。

(3)污水井、压载舱、污油舱、备用舱、淡水舱等液位高度,以及处理方法和特殊要求。

(4)燃油备用舱、沉淀柜、日用柜和其他燃油贮存柜中的燃油液位高度和状况。

(5)有关对废弃物处理的特殊要求。

(6)主机和副机系统的操作状况和方式。

(7)监视和控制每台设备情况,哪些设备处于手动操作。

(8)因恶劣天气、冰区、污染水域或浅水水域引起的潜在不利条件。

(9)因设备故障或危及船舶安全的情况而采取的特殊操作方式。

(10)消防设备的有效性。

5.停泊中值班轮机员在接到备车指令后应进行的操作

(1)通知轮机长下机舱。

(2)值班轮机员、机工下机舱做好准备工作。

(3)值班轮机员负责对车钟、时钟。

(4)三管轮/二管轮负责对舵、试验舵机房与驾驶台通信电话,检查舵机失压报警装置;做好全船电力方面的控制,保证两台发电机并联运行。

(5)车备妥后,通知驾驶台。值班轮机员配合轮机长按驾驶台的指令正确操纵主机,并记好车钟记录簿。

(6)值班机工除认真检查设备外,还要听从轮机长、轮机员的命令,及时调整各种不正常的参数变化,保证设备的正常运行及油、水、汽、气的供给。

6.航行中值班轮机员在接到备车航行的指令后应进行的操作

(1)通知轮机长下机舱,做好随时用车的准备工作。值班轮机员应确保有足够的电力供给,必要时两台发电机并联运行。如有必要,在征得轮机长的同意后主机应转换轻油。

(2)车备好后,通知驾驶台,值班轮机员应守在操纵台,随时根据驾驶台指令正确操纵主机。如是驾驶台遥控操纵的主机,值班轮机员应守在集控室,如无集控室应守在机旁操纵台附近,以便在驾驶台遥控操纵失灵的情况下快速转为机舱操纵。

(3)在能见度不良的海域或交通密集区域航行时,值班人员应加强巡回检查,及时调整不正常的参数变化,同时保证汽笛空气的供给。

(4)在恶劣天气下航行时,轮机长应明确下达指令,适当减小油门,降低转速,以防飞车或超负荷。值班人员应特别注意燃油(F.O、D.O)日用柜液位的变化,保证正常油位,并勤放残水,保证分油机正常运行;注意主、副机滑油循环柜油位,保持在较高的允许值之内;注意燃、润油系统各滤器前后压差的变化,必要时清洗滤器。

(5)恶劣天气下航行时,对车钟命令应认真记录在车钟记录簿上。

7.航行中常规检查与测试

(1)轮机长每天至少早晚两次到机舱巡回检查,根据检查情况对值班人员下达有关指令。

(2)轮机长每天至少早晚两次对机舱发电机、电动机、配电板、仪表、声光信号、报警系统及其他处所的电气设备进行检查、测试并记录。

(3)值班轮机员每班应对机舱报警系统、各种自动监视系统和声光信号测试、检查至少一次。

(4)值班人员应巡回检查路线,认真检查包括舵机、伙食冰机和生活区空调设备在内的各种机电设备的运行工况。

(5)值班轮机员至少每隔半小时在机舱巡回检查一次,每隔两小时按轮机日志要求检测、记录主要机械设备的运行参数一次。

(6)值班机工每隔半小时在机舱巡回检查一次,最好能与轮机员交叉进行,每隔两小时按副机日志要求检测、记录运行中的副机和有关辅助机械的运行参数一次。

(7)值班机工应及时发现和排除不正常现象,并及时报告值班轮机员。

(8)值班轮机员应及时发现和排除不正常现象,如不能解决,应及时报告轮机长,并将详细情况记入轮机日志。

A.30 气缸盖拆装与检查

【设备数量】可拆装柴油机1台、气缸1套。

【培训教师】C。

【培训场地】轮机实操室。

【教学组织过程】安排一位教师,每组8人,每组训练2小时。通过训练,学员能够正确识别气缸盖及气阀机构的主要损坏形式;能够正确拆卸、检查与装配气缸盖;能够按规范要求对气缸盖进行检查及试验。教师操作演示后,学员练习,教师进行指导及纠正。

【训练步骤】先进行气缸盖拆装的训练,然后进行气缸盖检查的训练。学员轮换分别对以上设备使用进行训练,教师现场检查及纠正。

1. 气缸盖的拆卸

(1)关闭相关阀门,放掉冷却水。

(2)遵守操作规程,做标记;拆卸缸头各附件及相连管子并分别放置好。

(3)对拆开的孔口、管口等进行密封包扎保护。

(4)用专用工具按对角分2~3次拆卸缸盖螺栓。

(5)分别存放好各个拆卸零件并做好标记。

(6)用起吊工具(小型气缸盖可以用手抬)安全吊起气缸盖,安全放置在木板垫上。

(7)拆卸注意事项:

①起吊前先用木棍插入进、排气孔撬动气缸盖。

②取出时要保持缸盖平稳上升,不能强拉,如遇阻力大,可以用手轻轻摇晃气缸盖。

③拆下的气缸盖不要倒置,以防止压损气缸盖上安置的螺栓。

2. 缸盖底面烧蚀检验

(1)通过肉眼或放大镜观察等方法,检查缸盖底面烧蚀麻点(大小和深浅)。

(2)用样板通过塞尺进行烧蚀测量,判断气缸盖底部的烧蚀程度。

3. 液压试验法检查缸盖裂纹

(1)试验前将所有冷却水洞堵塞好;用预制好的工具连接进水口,堵塞其余冷却水孔。

(2)连接液压试验工具,向缸盖冷却水腔注入液体(一般用清水,或先注清水再用压缩空气加压),按规范加压到0.7 MPa或不小于1.5倍工作压力,并保持15 min后,观察有没有渗漏现象。如果有,说明气缸盖有裂纹,不能使用。

(3)气缸盖裂纹检查方法还有目测法、探伤剂法(着色探伤)。

4. 气缸盖的安装

(1)正确安全使用吊装工具。

(2)气缸盖与机体密封面应保持完整、平滑,没有划痕、凸台、凹陷等;如果有轻微缺陷,可以用刮刀或锉刀修复。

(3)垫片的清洁检查安装(如垫片损坏,应按要求选用合适垫片)。如果紫铜垫片安装前应对其退火处理;注意垫片的厚度要适宜,否则影响该缸压缩比。

(4)对气缸盖按要求分多次对角上紧到规定的预紧力。

(5)最后装配各附件和连接管。

A.31　柴油机主轴承的检查

【设备数量】可拆装柴油机 1 台(主轴承、推力轴承)。

【培训教师】A。

【培训场地】轮机实操室。

【教学组织过程】安排一位教师,每组 8 人,每组训练 1 小时。通过训练,学员能够正确识别气缸盖及气阀机构的主要损坏形式;能够正确拆卸、检查与装配气缸盖;能够按规范要求对气缸盖进行检查及试验。教师操作演示后,学员练习,教师现场指导及纠正。

【训练步骤】先进行气缸盖拆装训练,然后进行气缸盖检查的训练。学员轮换进行训练,教师现场检查及纠正。

1. 轴承的损坏形式

轴承是船用主、副柴油机或其他辅机的易损件,在每年的机损事故中破坏数量居首位。轴承损坏主要是轴瓦上的耐磨合金层的损坏。其主要损坏形式有过度磨损、裂纹和剥落、腐蚀、烧熔。

(1)轴瓦过度磨损

柴油机运转一段时间后,主轴承下瓦、十字头轴承下瓦和曲柄销轴承上瓦产生过度磨损。轴瓦的过度磨损将会使轴承间隙增大,引起冲击和加剧磨损。轴瓦过度磨损主要与维护管理不当有关,具体表现如下:

①润滑油净化不良,含机械杂质和水分较多;

②轴颈表面的粗糙度等级太低、几何形状误差过大和曲轴变形等;

③柴油机启、停频繁和长时间超速、超负荷运转;

④其他日常维护不善,甚至违章操作等。

以上各点不是使得轴承润滑油膜不能建立,就是由于磨粒、轴颈表面状态不良或过大的轴承负荷破坏已形成的油膜,造成轴瓦的异常磨损。

(2)轴瓦裂纹和剥落

裂纹和剥落主要发生在白合金厚壁轴瓦上。最初由于种种原因在轴瓦工作表面产生微小疲劳裂纹,随着柴油机的继续运转,轴瓦上的裂纹逐渐扩展、延伸,致使轴瓦上的耐磨

合金呈片状脱落,即剥落。轴瓦裂纹和剥落主要与轴承受力、轴承合金性能及维护管理等因素有关,具体表现如下:

①白合金的疲劳强度低,在交变载荷作用下容易产生疲劳裂纹。

②轴颈的几何形状误差过大和轴瓦过度磨损都会使轴瓦受到过大的冲击负荷,致使轴瓦产生裂纹。

③柴油机超负荷会使轴承负荷过大,造成轴瓦裂纹。

④轴瓦浇铸质量差,如合金层与瓦壳结合不良或二者之间嵌有异物等,在交变载荷作用下使轴瓦裂纹和合金层剥落。

⑤龟裂是白合金轴瓦容易产生的疲劳损坏,如十字头轴瓦的龟裂就较为严重。目前虽然对十字头轴承和连杆小端的结构进行了各种改进,但龟裂仍时有发生。

柴油机运转时,由于轴瓦受到周期性交变负荷作用,特别在轴承负荷过大和轴向负荷分布不均匀时,轴与瓦之间难以建立连续而又分布均匀的润滑油膜,以致局部产生金属直接接触,经过一段时间运转后,在轴瓦表面上局部产生的细微裂纹,称为发裂。发裂在柴油机台架试验时就可能产生。实践证明,轴瓦产生发裂后仍可继续运转很长时间,直至发展成龟裂报废。

轴瓦产生发裂后,继续运转时润滑油就会渗入裂缝中,在轴承负荷作用下润滑油无处溢出而形成油楔,使发裂扩展、延伸并彼此连接成封闭网状。所以,当轴瓦承受过大的轴承负荷或轴向负荷分布不均匀时,就会使轴瓦上产生发裂,在油楔的作用下扩展成许多封闭的裂纹,即为龟裂。当龟裂面积较大并扩展至轴瓦端面或合金剥落时,应报废换新。

(3)轴瓦腐蚀

轴瓦腐蚀包括电化学腐蚀和漏电引起的腐蚀。润滑油中含水或滑油氧化、燃气或燃油的混入使滑油变质都会使轴瓦工作面产生宏观或微观电化学腐蚀麻点。船上的杂散电流是电器漏电引起的,它使轴瓦内外表面产生局部麻点的静电腐蚀。

(4)轴瓦烧熔

轴瓦合金烧熔是滑动轴承常见的严重损坏,主要由于轴承间隙过小、润滑油油压不足或失压使油膜不能建立、轴颈表面太粗糙或几何形状误差过大等破坏油膜。油膜不能建立或被破坏均使轴与瓦的金属直接接触,干摩擦产生高温使合金熔化。

2. 轴承的检测

(1)滑动轴承的安装要求

为了保证滑动轴承安全可靠地运转,轴承的安装质量和与轴的配合最为重要。在安装过程中应符合下列要求:

①轴瓦与轴承座孔的配合面应贴合良好。

安装轴瓦时下瓦的安装最为关键,应使下瓦外圆面与轴承座孔内圆面贴合紧密和均匀接触,用0.05 mm塞尺插不进。配合面贴合紧密,运转时轴瓦工作可靠,不会产生变形和裂纹,利于散热。

a. 厚壁轴瓦下瓦的安装。

下瓦装入轴承座内其配合面贴合情况可用在瓦座面涂色油后与轴瓦相互对比进行检查。若瓦背色油沾点少,说明接触不良。采用铜锤敲击或修锉瓦背,但绝不允许修锉轴承座面。要求在 25 mm×25 mm 面积内沾点不少于 3 个,即小型柴油机的瓦背与瓦座接触面积不小于 85%,大、中型柴油机不小于 75%。

b. 薄壁轴瓦的安装。

薄壁轴瓦与轴承座的紧密贴合是通过轴瓦与轴承座孔的过盈配合来实现的。由于轴瓦装入轴承座孔内,上、下瓦结合面均高出轴承座结合面 Δ,也就是轴瓦外圆周长较座孔周长大 4Δ。在螺栓上紧前,在轴承刮分面处有 2Δ 的间隙;在螺栓上紧后,间隙消失,借助薄壁轴瓦的弹性变形和过盈量使轴瓦紧压在轴承座孔中,二者配合面紧密贴合。薄壁轴瓦在自由状态下具有一定的弹性,所以在瓦口(结合面)处产生弹性变形,使瓦口处直径较轴瓦名义直径增大,二者之差为瓦口的扩张量。GB/T 3535—2006 对瓦口扩张量的推荐值为:无翻边瓦 0.3 ~1.0 mm;翻边瓦 0.1 ~0.4 mm。轴瓦内孔尺寸越大,轴瓦壁越薄,弹性越好,扩张量应取上限。

②轴颈与轴承下瓦应在一定的角度内均匀接触。

柴油机主轴颈与主轴承下瓦的接触角应在机体中心线两侧 40° ~60°范围内均匀接触;曲柄销颈与连杆大端轴承上瓦的接触角应在连杆中心线两侧 60° ~90°范围内均匀接触。

③轴承间隙应符合要求。

轴与轴瓦之间的径向最大配合间隙称为轴承间隙。合适的轴承间隙是形成润滑油膜实现液体动压润滑的重要条件。轴承间隙过小,油膜不能建立,轴与瓦的金属直接接触,产生大量热,以致合金熔化;间隙过大,润滑油流失,产生冲击,使轴瓦合金层产生裂纹、碎裂。所以要求轴与轴瓦之间的轴承间隙 Δ 在安装间隙 Δ_a 和极限间隙 Δ_j 之间,即

$$\Delta_a \leqslant \Delta < \Delta_j$$

柴油机说明书和柴油机修理技术标准中对主轴颈与主轴承、曲柄销颈与连杆大端轴承的轴承间隙均有具体规定。表 6 -14 所示为柴油机主轴承间隙。

表 6 -14　柴油机主轴承间隙　　单位:mm

轴颈直径	十字头式柴油机		筒形活塞式柴油机 <500 r/min		筒形活塞式柴油机 >500 r/min			
					锡基轴承合金		铜铅合金	
	装配间隙	极限间隙	装配间隙	极限间隙	装配间隙	极限间隙	装配间隙	极限间隙
≤100	—	—	—	—	0.06 ~0.08	0.20	0.08 ~0.10	0.20
>100 ~125	—	—	—	—	0.08 ~0.11	0.25	0.10 ~0.12	0.25
>125 ~150	—	—	—	—	0.11 ~0.15	0.30	0.13 ~0.16	0.30
>150 ~200	—	—	0.14 ~0.18	0.30	0.16 ~0.20	0.40	0.17 ~0.23	0.40
>200 ~250	—	—	0.18 ~0.22	0.40	0.20 ~0.24	0.50	0.24 ~0.28	0.50
>250 ~300	0.17 ~0.21	0.40	0.22 ~0.26	0.50	0.24 ~0.28	0.60	—	—
>300 ~350	0.21 ~0.25	0.50	0.26 ~0.30	0.60	—	—	—	—
>350 ~400	0.25 ~0.30	0.60	0.30 ~0.34	0.70	—	—	—	—

表6-14(续)　　单位:mm

轴颈直径	十字头式柴油机		筒形活塞式柴油机<500 r/min		筒形活塞式柴油机>500 r/min			
					锡基轴承合金		铜铅合金	
	装配间隙	极限间隙	装配间隙	极限间隙	装配间隙	极限间隙	装配间隙	极限间隙
>400~450	0.30~0.35	0.70	0.34~0.38	0.80	—	—	—	—
>450~500	0.35~0.40	0.80	—	—	—	—	—	—
>500~550	0.40~0.45	0.90	—	—	—	—	—	—
>550~600	0.45~0.50	1.00	—	—	—	—	—	—
>600~650	0.50~0.55	1.10	—	—	—	—	—	—
>650~700	0.55~0.60	1.20	—	—	—	—	—	—
>700	0.60~0.65	1.30	—	—	—	—	—	—

(2)轴承间隙的测量

①塞尺法。

用长塞尺自轴承端面直接插入轴颈与轴瓦之间进行测量。测量时,拆去轴承盖上的滑油进油管和盖内的油管,用长塞尺从端面插入进行测量。一般每运转3 000 h检测一次。

塞尺平直,而轴承间隙为弧形,使测量值小于实际间隙,所以轴承间隙应为测量值加上0.05 mm的修正值。此法简便,但精度不高,且使用受轴承结构限制,可用于轴承间隙的粗检。

②压铅法。

压铅法是利用置于轴承间隙处的铅丝在轴承螺栓上紧后被压扁的厚度来反映轴承间隙实际大小的测量方法。此法精度高,但操作麻烦,适用于厚壁轴瓦的轴承。具体测量步骤如下:

a.拆去主轴承上盖和上瓦或拆去连杆大端轴承的下盖和下瓦。

b.选直径为(1.5~2.0)Δ,长度为120°~150°轴颈弧长的铅丝2~3条,沿轴颈首、中、艉轴向位置周向安放铅丝,并用牛油粘住。

铅丝的塑性和直径对测量精度有很大影响。铅丝直径小于轴承间隙,则铅丝未被压扁,测不出轴承间隙;铅丝直径过大,上紧螺栓后铅丝可能被压入轴承合金内,亦不能准确测出轴承间隙。因此,铅丝直径的选取极为关键。例如,主轴承的装配间隙为0.20~0.25 mm时,依经验公式可选用0.30~0.50 mm的铅丝直径。

c.装复主轴承上盖及上瓦,按要求上紧螺栓至规定位置,此时切勿盘车。

d.打开轴承,取出铅丝,妥善保管并记下铅丝对应轴承的位置。

e.用外径千分尺测量铅丝两端和中间的厚度值并做记录。中间厚度值即为轴承间隙的实际大小,两端厚度值为轴承两侧间隙,应小于轴承间隙,且两侧间隙差应不超过0.05 mm。

③比较法

中、高速柴油机主轴承和连杆大端轴承多采用薄壁轴瓦。通常采用内、外径千分尺分别测量轴、孔的对应部位直径，两直径之差即为轴承间隙。一般应测量对应于曲柄销在上、下止点位置时的轴、孔直径，且沿轴向首、中、尾三处测量求其平均值进行比较。

(3)轴瓦磨损量检测

主轴承厚壁瓦下瓦磨损量可用桥规测量主轴颈下沉量的方法或直接测量下瓦厚度与新瓦厚度进行比较的方法来确定。连杆大端轴承上瓦的磨损量可采用直接测量法确定。

薄壁轴瓦当其轴承间隙超过说明书或标准时即表明其下瓦(或上瓦)磨损严重，无须测量磨损量，应报废换新。

(4)轴瓦合金层脱壳检查

轴瓦合金层浇铸质量不高就会使结合面局部有缝隙，运转后就会产生合金层脱落现象，为此对厚壁轴瓦备件可采用听响法或渗透探伤法进行检测。

轴瓦工作表面可用放大镜或渗透探伤法检验有无裂纹。

A.32　柴油机推力轴承的检查

【设备数量】可拆装柴油机 1 台(主轴承、推力轴承)。

【培训教师】A。

【培训场地】轮机实操室。

【教学组织过程】安排一位教师，每组 8 人，每组训练 1 小时。通过训练，学员能够正确识别气缸盖及气阀机构的主要损坏形式；能够正确拆卸、检查与装配气缸盖；能够按规范要求对气缸盖进行检查及试验。教师操作演示后，学员练习，教师现场指导及纠正。

【训练步骤】先进行安全教育，然后进行柴油机推力轴承检查的训练。学员轮换分别对以上设备使用进行训练，教师现场检查及纠正。

1. 推力轴承的检查

(1)将推力轴承试组装，打入中分面销钉。中分面不允许有错口，其接触面应达到 75% 以上接触，并分布均匀，用 0.03 mm 塞尺塞不入。

(2)推力轴承球面座与安装环的接触面亦应达到 75% 以上，否则应对其研磨或修刮。

(3)清理检查推力轴承的进出油孔和瓦块上乌金面。油孔应畅通，瓦块上的乌金应无脱胎和砂眼(用浸油法或着色法检查)。

(4)测量推力瓦块厚度。在平板上移动瓦块，用百分表测量。每块瓦的厚度差，一般不应该超过 0.02 ㎜。如有超过，也应在转子推力盘与整组瓦块接触检查中，根据情况修刮。

2. 推力轴承工作瓦块和非工作瓦块的修刮

(1)对于单置式推力轴承，应首先研磨球面座与其洼窝和安装环与球面座的接触面，均合格后，顺次吊入下球面座、转子，装入瓦块和上瓦球面座组件，紧好结合面螺栓，经检查一切正常后，用桥吊作牵引拉动转子，同时将推力盘压向工作瓦面及非工作瓦面，经数圈盘动后，解体检查每块瓦块接触面的接触情况，进行修刮。当用涂红丹法检查确定接触面合格后，还应以不涂红丹的干磨法检查各瓦块接触面直至合格为止。瓦块接触面亦应达到 75% 以上。

(2)对于推力支持联合轴承,在装入下半轴瓦后,在推力盘上涂上薄薄一层红丹油,吊入转子,依次装入上瓦、球面座和上盖,紧好结合面螺栓,顺着运行方向盘动转子,且需根据接触情况修刮侧瓦块。

(3)当气缸已扣盖,需检查推力轴承内轴向间隙时,应配置推动转子能轴向位移的专用工具。

A.33 增压器 *K* 值的检查

【设备数量】废气涡轮增压器1台。

【培训教师】D。

【培训场地】轮机实操室。

【教学组织过程】安排一位教师,每4人一组,每组训练2小时。通过训练,学员能够准确检查增压器 *K* 值,并根据说明书判断其状态。教师操作演示后,学员练习,教师进行指导及纠正。

【训练步骤】先放掉压气机端滑油,打开轴承盖,拆除甩油环及必要附件,然后进行增压器 *K* 值的检查。小组成员轮换进行训练,教师现场检查及纠正。

1. 关于 *K* 值

增压器的 *K* 值指压气机端转子顶部与压气机端轴承盖法兰面之间的直线距离,该值一般以红字的形式打印在端盖的内侧。*K* 值有着非常重要的作用,具体如下:

(1)一般拆检前将测量 *K* 值与印记 *K* 值比较,以判断增压器当前的运行工况,以及转子与轴承等重要零部件是否需要更换和调整;

(2)拆检前测量 *K* 值并与拆检后 *K* 值相比较,以判定整个拆装过程的好坏,如果差值较大,有必要重新拆装检查;

(3) *K* 值的测量是下面所述的轴向间隙测量计算与调整的基础。

2. 转子轴向间隙的测量

对具体增压器的拆装要在熟读说明书,严格按照说明书规定的拆装程序下逐步进行。

(1)增压器拆检前测量 *K* 值

放掉压气机端滑油,打开轴承盖,拆除甩油环及必要附件,将一把硬的钢尺置于轴承端盖法兰面,用测深尺测出转子顶部与钢尺外边面的垂直距离,转动转子,测量3次,取其平均值,再减去钢尺厚度就是 *K* 值。一般增压器转子及轴承未有更换,不会造成较大变化,其 *K* 值变化相当小,否则要查阅历次维修记录。

(2)增压器装复后 *K* 值测量

增压器装复时,涡轮端轴承安装到位,固定螺栓上紧。再将压气机端轴承安装到位,此时转子应该转动,推拉转子能够感到转子在轴向间滑动。接下来测量 *K* 值,在涡轮端适当用水平力推动转子,测出此时的 *K* 值,转动转子测量3次,取其平均值,这个数值就为增压器装复后的 *K* 值。适当用力站在涡轮端拉动转子,此时转子压过一段非常小的距离顶死。测量不同周向的 *K* 值3次,取其平均值,这个数值就为增压器装复后的 *K* 值。在上紧压气机端轴承座固定螺栓时，一定要边上紧边转动转子，确保转子灵活转动，全部均匀上紧到规定力矩，再一次测量 K 值的平均值，这个就是装复后的 K 值。与拆装前的 K 值比较，差值要在说明书规定的范围之内。

(3)轴向间隙的计算

通过前述 3 个数据的测量，可计算出 $L=K-K_1$，$M=-K$(此 K 值为装复后的 K 值)。L 值指压气机叶轮前方与壳体之间的间隙，为保证叶轮前面不与壳体相碰。M 值指压气机叶轮背面与气封板之间的轴向间隙，用于保证叶轮背面不与气封相碰。

因此，这两个数据相当重要。K、L 值偏小转子不能转动，直至打坏部件，造成漏气，压气效率低，对于增压器安全高效运转有相当重要意义。如果 K、L 值偏离说明书要求，就要调整。

A.34　液压阀件的拆装

【设备数量】液压阀件 4 套(溢流阀、换向阀、节流阀、安全阀)。

【培训教师】A(B)。

【培训场地】轮机实操室。

【教学组织过程】安排一位教师指导，4 位学员同时进行，每人一套液压阀件，每人训练 1 小时。通过训练，学员能够正确拆装、检查、装配常用液压阀件(溢流阀、换向阀、节流阀、安全阀)。教师操作演示后，学员练习，教师进行指导及纠正。

【训练步骤】按照溢流阀、换向阀、节流阀、安全阀的顺序来进行拆卸、检查，然后进行装配。学员进行操作训练，教师现场检查及纠正。

1. 溢流阀的拆装

(1)拆装流程

①拆下调节螺母。

②用扳手拧下内六角螺钉，使阀体与阀座分离，取出弹簧。

③用工具将阀盖拧出，取出阀芯。

④清洗。在装配过程中，液压元件零部件的清洗对保证装配质量和延长元件的使用寿命均有重要意义。密封件和精密件污染后装配，会引起液压元件的磨损加剧甚至卡死，造成重大事故。为了使元件、辅件发挥令人满意的工作性能，达到预期的使用寿命，在装配前必须仔细清洗。

⑤按拆卸的相反顺序进行装配。

(2)拆装注意事项

①拆下的零件应按次序摆放，不应落地、划伤、锈蚀等。

②拆、装螺栓组时应对角依次拧松或拧紧。

③需顶出零件时，应使用铜棒适度击打，切忌用钢铁棒。

④装配前必须将全部零件仔细清洗、晾干，切忌用棉纱擦拭。

⑤应更换老化的密封件。

⑥安装时应参照图或拆装记录,注意定位零件。

⑦主阀芯在阀体内应移动灵活,不得有阻滞现象,配合间隙一般为 0.015 ~0.025 mm。

⑧主阀芯、先导阀芯与它们的阀座应密封良好,不得有泄漏。

⑨安装完毕应推动应急按钮,检查阀芯滑动是否顺利。

⑩检查现场有无漏装零件。

⑪装配后要做压力调整训练。

2. 换向阀的拆装

(1)拆装流程

换向阀的拆装流程如图 A-19 所示。

(2)拆装注意事项

①有拆装流程示意图时,请参考流程图进行拆装。

②无图拆装时,应记录解体零件的拆装顺序和方向。

③拆下的零件按次序摆放,不应落地、划伤、锈蚀等。

④拆装螺栓组时应对角依次拧松或拧紧。

⑤需顶出零件时,应使用铜棒适度击打,切忌用钢、铁棒。

⑥安装前的零件清洗后应晾干,切忌用棉纱擦拭。

⑦应更换老化的密封件。

⑧安装时应参照图或拆卸记录,注意定位零件。

⑨安装完毕,推动应急按钮,检查阀芯滑动是否顺利。

⑩请检查现场有无漏装零件。

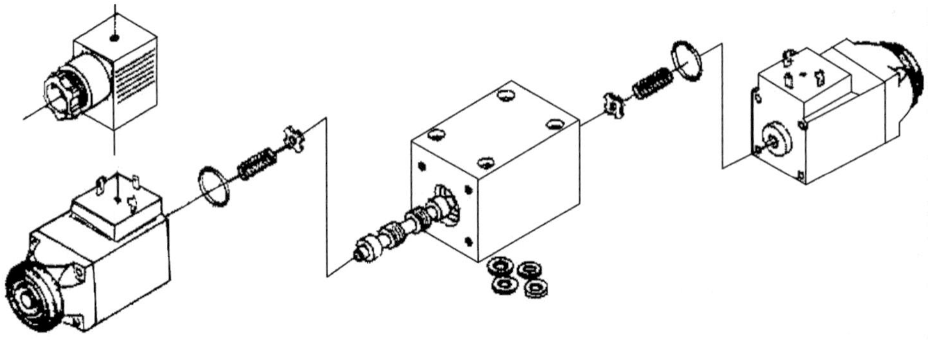

图 A-19　拆装流程示意图

3. 节流阀的拆装

(1)观察节流阀的外观,找出进油口和出油口。

(2)用内六方扳手松开阀体上的螺栓后,再取掉螺栓,轻轻取出阀芯,注意不要损伤,观察、分析其节流口的形状和结构特点。

(3)根据节流阀的结构特点,理解工作过程。

(4)装配时,遵循"先拆的零部件后安装,后拆的零部件先安装"的原则,特别注意小心装配阀芯，防止阀芯卡死，正确合理地安装是保证减压阀能正常工作的前提条件。

(5)注意拆装中弄脏的零部件应用煤油清洗后才可装配。

4. 安全阀的拆装

(1)逐项检查以确认各箱压力已降至0，并已无水汽。

(2)备好起吊工具，并拴好钢丝绳和链条葫芦，准备起吊。

(3)做好记号，防止装错。

(4)拉好支撑弹簧，拆下排气管法兰螺栓。

(5)锯断疏水管，并打好坡口，封闭好管口。

(6)拆下安全阀下端法兰的紧固螺丝，吊出安全阀。

(7)将拆下的螺栓清洗配好，并抽取2个做探伤实验。

(8)盖好法兰并加封。

(9)记录好弹簧高度，然后用专用工具将弹簧卡住。

(10)通知焊缝检查人员检查焊缝情况。

(11)将阀帽除去后，拧紧锁紧螺母，即可逆时针方向拧松调整螺杆，使弹簧松弛，直至取下调整螺杆。

(12)取下销子便可将调节螺母向上取下，散热器就可取下。

(13)阀杆、阀瓣座、限位螺母一起取出。

(14)上调节圈与导向套可同时拆下，此时应防止上调节圈转动、移位，然后正确地记录其总高，以保证装复后调节圈仍处于原来的位置。

(15)清理检查阀座，并用专用平板对密封面和齿形垫结合面进行研磨。

(16)用砂纸将与导向套接触部位研磨光洁，并测量其椭圆度。

(17)疏通疏水管，并将阀座内部清理干净。

A.35　液压油泵的拆装

【设备数量】液压油泵4套。

【培训教师】A(B)。

【培训场地】轮机实操室。

【教学组织过程】安排一位教师指导，4位学员同时进行，每人一套液压油泵，每人训练1小时。通过训练，学员能够正确拆装、检查、装配液压油泵。教师操作演示后，学员练习，教师进行指导及纠正。

【训练步骤】先对液压轴承进行拆卸，然后进行装配。学员进行操作训练，教师现场检查及纠正。

1. 操作设备、操作工具及材料

(1)拆装试验台(包括拆装工具一套)。

(2)内六角扳手、固定扳手、螺丝刀、CB－B型齿轮泵。

(3)拆装的液压泵。

2. 具体操作过程

(1)先用内六角扳手在对称位置松开6个紧固螺栓,之后取下螺栓和定位销,打开前泵盖,观察卸荷槽、吸油腔、压油腔等的结构,弄清楚其作用并分析工作原理。

(2)从泵体中取出主动齿轮及轴、从动齿轮及轴。

(3)分解端盖与轴承、齿轮与轴、端盖与油封(此步可以不做)。

(4)装配步骤与拆卸步骤相反。

3. 装配要点与维修注意事项

(1)仔细清选零件。

(2)各零件原规定的锐角处应保持锐角,不可倒角修圆。

(3)滚针装在轴承座圈内应充满,不得遗漏,滚针轴承应垂直压入前后盖板孔内,滚针在轴承保持架内转动应灵活无阻滞。

(4)长、短轴上的平键与齿轮配合,侧向间隙不应过大,顶面不得碰擦,且能轻松推进,轴不得在齿轮内径向摆动。

(5)CB-B型齿轮泵的径向间隙为0.13~0.16 mm,轴向间隙为0.03 mm。

(6)装配后旋转主动轴(长轴),保证用手旋转时平稳无阻滞。

(7)在拆装操作中要注意观察齿轮泵泵体中铸造的油道、骨架油封的密封唇口的方向、主被动齿轮的啮合情况、各零部件间的装配关系和安装方向等,随时做好记录,以便下一步进行安装。

(8)装配时要特别注意骨架油封的装备。应使骨架油封的外侧油封的密封唇口向外,内侧油封唇口向内。装配主动轴时,应防止其擦伤骨架油封唇口。

(9)装配后向油泵的进出油口注入机油,用手转动时应均匀无过紧感觉。

4. 拆卸步骤

(1)拆变量机构。

(2)拆压盘和柱塞。

(3)拆缸体。

(4)拆前缸体和中间体。

(5)拆配流盘。

5. 装配步骤

(1)在前缸体上安装配流盘(注意定位销的位置)。

(2)安装中间体。

(3)安装缸体(注意要平放,不要强行放置)。

(4)安装定心弹簧、内套和钢球。

(5)安装压盘与柱塞。

(6)安装变量机构。

A.36　拆装柴油机止推轴承的检查(内河一类轮机长)

【设备数量】可拆装柴油机1台、止推轴承1件。

【培训教师】B。

【培训场地】轮机实操室。

【教学组织过程】安排一位教师指导,每组8人,每组训练2小时。通过训练,学员能够正确检测止推轴承间隙,并能够按说明书要求正确调整和检测推力轴承的推力间隙。教师操作演示后,学员练习,教师进行指导及纠正。

【训练步骤】测量柴油机止推轴承的间隙。每组学员轮换进行训练,教师现场检查及纠正。

1. 测止推轴承间隙的方法

方法一:拆装柴油机止推轴承后,进行现场测量,在外露的轴端上沿轴向装一只千分表,然后来回窜动转子,千分表上前后读数差值即为止推轴承的间隙。

方法二:待推力轴承全部装配好后,将千分表固定在静止件上,使测量杆顶在转子上的某一个光滑端面上,并与轴平行,盘动转子,用专用工具或杠杆将转子依次分别推向前后两极限位置,同时记下两极限位置的千分表数值,其差值即为轴向间隙。

3. 止推轴承检修与间隙检测调整时的注意事项

(1)应同时装上一只千分表来测量瓦壳的移动量。

(2)推动转子应有足够大的轴向推力,使推力盘紧靠所有瓦块。

(3)调整止推轴承的间隙,可以用加、减止推轴承背面垫片的厚度来实现。

4. 轴位移传感器安装使用时的注意事项

(1)检修维护中探头电缆与前置器延长电缆的接头要保证非常清洁,最好使用电器清洗剂清洗后再插接拧紧(接头污染可能表现为测量值上下大幅度波动)。

(2)轴位移传感器的实际调整间隙电压不是一成不变的,每次设备检修后,转子的轴向窜量都可能有所变化,因此必须测量实际的轴向窜量,再根据实际窜量进行计算,得到实际的调整间隙电压值。

(3)特别注意,当转子停机静止时,如果静态测量值尽管非常小,但却总是不停地上下波动,说明转子测量部位可能存在轻微的磁化现象,如果波动范围较大,则表明测量面磁化现象严重,需要进行消磁(即去除电跳)处理。

A.37　拆装柴油机推力轴承的检查

【设备数量】可拆装柴油机1台、推力轴承1件。

【培训教师】B。

【培训场地】轮机实操室。

【教学组织过程】安排一位教师指导，每组 8 人，每组训练 2 小时。通过训练，学员能够按说明书要求正确调整和检测推力轴承的推力间隙。教师操作演示后，学员练习，教师进行指导及纠正。

【训练步骤】检查柴油机推力轴承的间隙。每组学员轮换进行训练，教员现场检查及纠正。

(1) 将推力轴承试组装，打入中分面销钉，中分面不允许有错口，其接触面应达到 75% 以上，并分布均匀，用 0.03 mm 塞尺塞不入。

(2) 如推力轴承球面座与安装环的接触面亦应达到 75% 以上，否则应对其研磨或修刮。

(3) 检查分清轴承的紧环和松环（根据轴承孔径大小判断，孔径相差 0.1 ~0.5 mm）。

(4) 清理检查推力轴承的进出油孔和瓦块上乌金面。油孔应畅通，瓦块上的乌金应无脱胎和砂眼（用浸油法或着色法检查）。

(5) 测量推力瓦块厚度。在平板上移动瓦块，用百（千）分表测量。每块瓦的厚度差，一般不应该超过 0.02 mm。如有超过，也应在转子推力盘与整组瓦块接触检查中，根据情况修刮。

(6) 检查滚动轴承的润滑是否足够。滚动轴承的润滑可以减少轴承的摩擦及磨损，防止烧粘；延长其使用寿命；排出摩擦热、冷却，防止轴承过热及润滑油自身老化；防止异物侵入轴承部；防止生锈、腐蚀。

(7) 分清机构的静止件，即不发生运动的部件，主要是指装配体。

(8) 无论什么情况，轴承的松环应始终靠在静止件的端面上。

参 考 文 献

[1] IMO. 1978 年海员培训、发证和值班标准国际公约马尼拉修正案[M]. 中华人民共和国海事局,译. 大连:大连海事大学出版社,2010.

[2] 王兴琦. 对 IMO 示范课程的认识[J]. 航海教育研究,2005,22(3):44-45.

[3] 邢永恒. 基于 IMO 示范课程国内化的培训课程认可[J]. 航海教育研究,2014(4):20-22.

[4] 欧阳军. IMO 示范课程及对我国航海教育的启示[J]. 航海教育研究,2007,24(1):65-66.

[5] 黎法明,郑又新. 基于 STCW 公约马尼拉修正案的航海技术专业课程确认[M]. 哈尔滨:哈尔滨工程大学出版社,2020.